O DESPERTAR DO TIGRE

CIP-BRASIL. CATALOGAÇÃO NA PUBLICAÇÃO
SINDICATO NACIONAL DOS EDITORES DE LIVROS, RJ

L645d
5. ed.

Levine, Peter A.
O despertar do tigre : curando o trauma / Peter A. Levine com Ann Frederick ; tradução Sonia Augusto. - 5 ed., rev. - São Paulo : Summus, 2022.
264 p. ; 21 cm.

Tradução de: Waking the tiger: healing trauma
ISBN 978-65-5549-096-1

1. Transtorno de estresse pós-traumático - Tratamento. 2. Transtorno de estresse pós-traumático - Prevenção. 3. Corpo e mente (Terapia). I. Augusto, Sonia. II. Frederick, Ann. III. Título.

22-80959 CDD: 616.8521
CDU: 616.89-008

Gabriela Faray Ferreira Lopes - Bibliotecária - CRB-7/6643

www.summus.com.br

PETER A. LEVINE
COM ANN FREDERICK

O DESPERTAR DO TIGRE

Curando o trauma

Do original em língua inglesa
WAKING THE TIGER — HEALING TRAUMA

Editora executiva: **Soraia Bini Cury**
Tradução: **Sonia Augusto**
Revisão técnica: **Pedro Prado e Paula Mattoti**
Revisão: **Júlia Rodrigues**
Capa: **Alberto Mateus**
Projeto gráfico e diagramação: **Crayon Editorial**
Ilustração da p. 25: **Gerry Greenberg**

2ª reimpressão, 2025

Este livro é um convite ao leitor para começar a entender e transformar suas experiências traumáticas. Não tem a pretensão de substituir tratamento psicológico ou psiquiátrico. Se durante os exercícios propostos o leitor sentir qualquer mal-estar físico ou emocional, ou estiver inseguro quanto aos resultados, deve interrompê-los imediatamente. Nesses casos, recomendamos buscar a ajuda de um profissional especializado.

Waking the tiger — Healing trauma foi patrocinado pela Society for Study of Native Arts and Science, instituição sem fins lucrativos cujos objetivos são desenvolver uma perspectiva educacional e transcultural inter-relacionando os campos científico, social e artístico; cultivar uma visão holística de arte, ciência, humanidades e saúde; e publicar e distribuir literatura para a integração mente, corpo e natureza.

Summus Editorial
Departamento editorial
Rua Itapicuru, 613 – 7º andar
05006-000 – São Paulo – SP
Fone: (11) 3872-3322
http://www.summus.com.br
e-mail: summus@summus.com.br

Atendimento ao consumidor
Summus Editorial
Fone: (11) 3865-9890

Vendas por atacado
Fone: (11) 3873-8638
e-mail: vendas@summus.com.br

Impresso no Brasil

SUMÁRIO

PARTE II — SINTOMAS DO TRAUMA

PARTE III — TRANSFORMAÇÃO E RENEGOCIAÇÃO

PARTE IV — PRIMEIROS SOCORROS

APRESENTAÇÃO À EDIÇÃO BRASILEIRA

É com grande prazer que temos a honra de apresentar o dr. Peter Levine e seu trabalho, Somatic Experiencing® (Experiência Somática), que traz uma mensagem de esperança para todos aqueles que já foram traumatizados e para nosso mundo atual, onde a violência, a guerra e o desrespeito à natureza fazem parte de um ciclo vicioso que revela a desconexão do ser humano com sua natureza amorosa e com a qualidade autorreguladora da própria natureza.

Sua mensagem é: os efeitos do trauma podem ser curados. O ciclo vicioso e repetitivo que reflete a experiência traumática pode ser transformado.

O trauma — incidente que sobrecarrega nossa capacidade de sobrevivência e deixa uma marca impressa em nosso sistema nervoso — faz parte da experiência humana individual e social. Os efeitos do trauma a longo prazo no corpo e na mente do ser humano podem ser avassaladores, ao passo que o trauma transformado pode levar a uma vivência quase de iluminação, trazendo a pessoa de volta à vida com mais flexibilidade, mais compaixão e um senso ampliado do significado da existência humana.

Qual seria, então, a diferença entre uma pessoa que passa por uma experiência de tal forma extrema e sai fortalecida por ela e outra que sofre de uma série de sintomas cada vez mais desintegradores?

Depois de trinta anos de estudo de neurologia, fisiologia, psicologia e de trabalho com pacientes traumatizados, o dr. Levine propõe uma resposta quando diz que o trauma está no sistema nervoso e não no fato gerador da experiência traumática.

Animais selvagens, apesar de passarem por perigo de vida, frequentemente muitas vezes num mesmo dia, não mostram sinais de choque nem de estresse pós-traumático.

Pelo estudo do animal selvagem e da fisiologia do comportamento de caçador e da caça, o dr. Levine desenvolveu seu método, uma abordagem bastante completa e eficiente para a cura do estresse pós-traumático.

O método Somatic Experiencing® (SE) trabalha em nível fisiológico, mais especificamente com o comportamento do sistema nervoso autônomo (SNA). Busca compreender esse aspecto do ser humano quando existe ameaça, quando existe fuga à ameaça, quando há luta para enfrentar essa mesma ameaça ou quando existe congelamento diante do fato ameaçador. Lida com a ativação e a descarga do SNA diante de estimulações (ameaças) que podem ser bem ou mal resolvidas (ciclos de carga e descarga completos ou não).

Assim como o trauma se estabelece no sistema somatoemocional por meio de padrões de resposta do SNA a essas situações avassaladoras bem ou mal resolvidas (ciclos que se completam ou não), é também pela fisiologia que podemos reverter esses padrões, nos "salvando"!

Atualmente, as disciplinas que trabalham com a mente estão se aproximando cada vez mais das disciplinas que trabalham com o corpo, com o somático. Atletas olímpicos descobrem o valor da mente calma e do poder da visualização para melhorar seu desempenho no esporte. As descobertas recentes do papel dos neurotransmissores nas emoções dão uma dimensão bioquímica para nossos sentimentos e pensamentos.

Nesta cena surge a Somatic Experiencing®, uma abordagem que pode ser usada como método em si, mas que antes de mais nada aparece como modelo para entender o trauma e o ser humano — modelo que tem aplicações muito abrangentes para médicos, equipes hospitalares, psicólogos, terapeutas corporais e assistentes sociais, mencionando apenas algumas áreas que podem se beneficiar com o uso dessa metodologia.

Nosso mundo contemporâneo apresenta atitudes que estão arraigadas em traumas históricos, recalcados, transformados em comportamentos de violência, guerras, destruição de semelhantes. Essas atitudes se repetem revelando feridas sociais ocultas. Se não lidarmos com os efeitos dessas dicotomias dominação-submissão, abundância-pobreza, cuidando dos traumas subjacentes por elas gerados, não encontraremos uma forma de convívio social saudável.

Em *O despertar do tigre*, Levine nos traz sua teoria de forma já digerida. O leigo em fisiologia e psicologia poderá acompanhar o texto, que se sugere de forma mântrica. Conceitos são apresentados de forma simples, compreensível, e o livro é escrito a fim de levar o leitor a ter uma experiência ao mesmo tempo conceitual e terapêutica. O texto, que por vezes pode parecer repetitivo, na verdade está conduzindo o leitor gradualmente a um aprofundamento no contato com suas sensações, reconectando-o com dimensões então dissociadas, o que torna essa obra ao mesmo tempo informativa e terapêutica.

O título da obra é uma analogia poética do processo sugerido: resgatar as forças inerentes em cada um de nós, em que a natureza animal se mantém sabia. O herói conectado, trabalhando em direção ao reequilíbrio de suas forças inatas. Sua preocupação com o social aparece quando sugere, nos últimos capítulos, medidas preventivas para se lidar com traumas em crianças.

Portanto, leitor, prepare-se para uma grande aventura, que o levará para o reino animal e para as profundezas e as alturas da experiência humana.

LAEL KEEN[1]
PEDRO PRADO[2]

1. Lael Keen, americana radicada no Brasil desde 1986. Rolfista desde 1984, instrutora de Rolfing® e Rolfing® Movimento do Rolf Institute, Boulder, Colorado. Professora de Somatic Experiencing®. Faixa preta 4º grau de Ki-Aikido.
2. Pedro Prado, rolfista desde 1980, introdutor do Rolfing® no Brasil e instrutor de Rolfing® Estrutural e Rolfing® Movimento do Rolf Institute, Boulder, Colorado. Psicólogo clínico, mestre em psicologia de abordagem corporal pela Universidade de São Paulo (USP).

INTRODUÇÃO

Se você expressar o que está dentro de você,
Então o que está dentro de você
Será a sua salvação.
Se você não expressar o que está dentro de você,
Então o que está dentro de você
Irá destruí-lo.
— The gnostic gospels[3]

Por mais de um quarto de século — metade da minha vida — tenho trabalhado para desvendar os vastos mistérios do trauma. Com frequência, colegas e alunos me perguntam como consigo permanecer imerso num assunto tão mórbido quanto o trauma sem ficar completamente esgotado. O fato é que, apesar de ter sido exposto a uma angústia de gelar os ossos e a um "conhecimento terrível", me envolvi apaixonadamente e fui nutrido por esse estudo. O trabalho de minha vida passou a ser auxiliar no entendimento e na cura do trauma em suas múltiplas formas. As mais comuns são acidentes de carro, doenças graves, cirurgias e outros procedimentos médicos e dentários invasivos e assaltos, além de experienciar ou testemunhar violência, guerra ou variados tipos de desastres naturais.

Sou infinitamente fascinado pelo assunto do trauma, e por sua relação intrincada com as ciências físicas e naturais, com a filosofia, a

3. Pagels, Elaine. *The gnostic gospels*. Nova York: Random House, 1979. [Em português: *Os evangelhos gnósticos*. Rio de Janeiro: Objetiva, 2006.]

mitologia e as artes. Trabalhar com o trauma me ajudou a compreender o significado do sofrimento, tanto o necessário quanto o desnecessário. Acima de tudo, isso me ajudou a penetrar no enigma do espírito humano. Sou grato por esta oportunidade única de aprender, e pelo privilégio de testemunhar e de participar da profunda metamorfose que a cura do trauma pode trazer.

O trauma é um fato da vida. Contudo, ele não precisa ser uma condenação perpétua. Não só pode ser curado como, com orientação e apoio adequados, pode ser transformador. Tem potencial para ser uma das forças mais significativas para o despertar e a evolução psicológica, social e espiritual. O modo como lidamos com ele (como indivíduos, comunidade e sociedade) influencia, em muito, nossa qualidade de vida. Em última instância, isso afeta o modo como sobreviveremos como espécie, ou mesmo se sobreviveremos.

O trauma é tradicionalmente visto como um distúrbio clínico e psicológico da mente. A prática da medicina e da psicologia modernas, embora admita uma conexão entre a mente e o corpo, subestima, em demasia, a profunda relação que ambos têm na cura do trauma. A unidade fundida de corpo e mente que, ao longo dos tempos, formou as bases filosóficas e práticas da maioria dos sistemas tradicionais de cura do mundo infelizmente está faltando em nossa compreensão e tratamento modernos do trauma.

Durante milhares de anos, os curadores orientais e xamânicos não só reconheceram que a mente afeta o corpo, como a medicina psicossomática reconhece; eles também reconheceram que cada sistema orgânico do corpo tem uma representação no tecido da mente. Os recentes desenvolvimentos revolucionários na ciência neurológica e na psiconeuroimunologia têm estabelecido evidências sólidas da intrincada comunicação mútua entre a mente e o corpo. Ao identificar os complexos "mensageiros neuropeptídios", pesquisadores como Candice Pert descobriram muitos caminhos pelos quais a mente e o corpo se intercomunicam. Essa pesquisa de vanguarda ecoa aquilo que a sabedoria antiga sempre soube: cada órgão no corpo, inclusive o cérebro, emite seus próprios "pensamentos", "sentimentos" e "alertas" e ouve os de todos os outros órgãos.

A maioria das terapias do trauma aborda a mente pela fala e as moléculas da mente com drogas. Essas duas abordagens podem ser úteis. Contudo, o trauma não é e nunca poderá ser plenamente curado até que nós também levemos em conta o papel essencial representado pelo corpo. Precisamos entender como o corpo é afetado pelo trauma e sua posição central na cura de suas consequências. Sem essa base, nossas tentativas de dominar o trauma serão limitadas e unilaterais.

Além dessa visão mecanicista e reducionista da vida, existe um organismo que tem sensações e sentimentos, que conhece e vive. Esse corpo vivo, condição que compartilhamos com todos os seres sencientes, nos informa de nossa capacidade inata para nos curar dos efeitos do trauma. Este livro trata do dom de sabedoria que recebemos em consequência de aprender a utilizar e a transformar as energias surpreendentes, primordiais e inteligentes do corpo. Superando a força destrutiva do trauma, o nosso potencial inato agora nos transporta a novos níveis de domínio e de conhecimento.

PETER LEVINE
Escrito no Amtrak Zephyr,
outubro de 1995

PRÓLOGO — DANDO AO CORPO O QUE LHE É DEVIDO

CORPO E MENTE

Qualquer coisa que aumente, diminua, limite ou amplie o poder de ação do corpo, aumenta, diminui, limita ou amplia o poder de ação da mente. E qualquer coisa que aumente, diminua, limite ou amplie o poder de ação da mente, também aumenta, diminui, limita ou amplia o poder de ação do corpo.

— Espinoza (1632-1677)

Se você está experienciando sintomas estranhos que ninguém parece ser capaz de explicar, eles podem estar surgindo de uma reação traumática a um acontecimento passado do qual nem você mesmo se lembra. Você não está sozinho. Não está louco. Existe uma explicação racional para o que está lhe acontecendo. Você não foi irreversivelmente danificado, e é possível reduzir ou até mesmo eliminar esses sintomas. No trauma, sabemos que a mente sofre profundas alterações. Por exemplo, uma pessoa que sofreu um acidente de automóvel, num primeiro momento, fica protegida da reação emocional e até da memória e da sensação do que realmente aconteceu. Esses mecanismos admiráveis (isto é, a dissociação e a negação) nos permitem passar por esses períodos críticos, esperando por um momento e um lugar seguros para que esses estados alterados "desapareçam aos poucos".

De modo semelhante, o corpo reage profundamente ao trauma. Ele se tensiona, pronto para agir, se retesa com medo, congela e colapsa cheio de terror. Quando a reação protetora da mente diante da sobrecarga volta ao normal, a resposta do corpo deveria se normalizar. Quando esse processo restaurador é bloqueado, os efeitos do trauma ficam fixados, e a pessoa se torna traumatizada.

A psicologia tradicionalmente aborda o trauma por seus efeitos na mente. Na melhor das hipóteses, isso é apenas metade da história, e uma metade totalmente inadequada. Não seremos capazes de entender o trauma a fundo ou de curá-lo sem que o corpo e a mente sejam acessados conjuntamente como uma unidade.

ENCONTRANDO UM MÉTODO

Este livro aborda a resolução dos sintomas traumáticos usando uma abordagem naturalística que desenvolvi nos últimos 25 anos. Não vejo o transtorno de estresse pós-traumático (TEPT) como uma patologia que deva ser gerenciada, suprimida, ou à qual as pessoas devam se ajustar, mas como consequência de um processo natural que foi distorcido. A cura do trauma exige uma experiência direta do organismo que vive, sente e conhece. Os princípios que vou compartilhar com vocês são o resultado do trabalho com clientes e também do acompanhamento de pistas a respeito das origens do trauma. Este estudo me levou aos campos da fisiologia, da ciência neurológica, do comportamento animal, da matemática, da psicologia e da filosofia, entre outros. No início, meus sucessos resultavam de pura sorte e do acaso. À medida que continuei trabalhando com as pessoas, questionando o que havia aprendido, ampliando os limites e penetrando cada vez mais no mistério do trauma, fui capaz de obter sucesso previsivelmente e não apenas por sorte. Convenci-me de que o repertório instintivo do organismo humano inclui um conhecimento biológico profundo que pode e vai guiar o processo de cura do trauma, se tiver oportunidade.

Uma ênfase crescente em dar atenção a essas respostas instintivas estava curando os clientes, e meu questionamento vinha dando retorno. As pessoas ficavam imensamente aliviadas quando, por fim, entendiam como os sintomas tinham sido criados e aprendiam a reconhecer e experienciar seus próprios instintos em ação.

A SE é nova e não foi submetida a uma pesquisa científica rigorosa até este momento. O que tenho para dar sustentação à validade desta abordagem são várias centenas de casos individuais em que as pessoas relatam que os sintomas, os quais haviam reduzido sua capacidade de ter uma vida plena e satisfatória, desapareceram ou diminuíram muito.

Costumo trabalhar num contexto terapêutico individual e, com frequência, também emprego outras modalidades. Obviamente, este livro não substitui o trabalho individual com um terapeuta treinado. Contudo, acredito que muitos dos princípios e da informação presentes aqui podem ser usados para facilitar a cura do trauma. Se você está em terapia, talvez seja interessante compartilhar este livro com seu terapeuta. Se não está, é possível usá-lo para ajudar a si mesmo. No entanto, existem limitações. Você pode precisar da orientação de um profissional qualificado.

O CORPO COMO CURADOR

O corpo é a praia no oceano do ser.

— Sufi (anônimo)

A Parte I deste livro apresenta o trauma e explica como os sintomas pós-traumáticos começam e se desenvolvem e por que são tão fortes e persistentes. Estabelece uma base de compreensão que afasta a intrincada teia de mitos a respeito do trauma e a substitui por uma descrição simples e coerente dos processos fisiológicos básicos que o produzem. Embora com frequência o nosso intelecto supere nossos instintos naturais, ele não comanda a reação traumática. Somos mais semelhantes a nossos amigos de quatro patas do que gostaríamos de pensar.

Quando falo de nossos "organismos", uso a definição do dicionário Webster: "[...] uma estrutura complexa de elementos interdependentes e subordinados cujas relações e propriedades são, em grande parte, determinadas por sua função no todo". O organismo descreve a nossa totalidade, que não deriva da soma de partes individuais — isto é, ossos, substâncias químicas, músculos, órgãos etc. — mas emerge da inter-relação dinâmica complexa dessas partes. Corpo e mente, instintos primitivos, emoções, intelecto e espiritualidade, tudo isso precisa ser considerado conjuntamente ao estudarmos o organismo. O veículo pelo qual experimentamos a nós mesmos como organismo é a sensopercepção. A sensopercepção é um meio por intermédio do qual experienciamos a plenitude da sensação e do conhecimento a respeito de nós mesmos. Você obterá uma compreensão mais clara destes termos quando ler o material e realizar alguns dos exercícios.

Parte I — O corpo como curador. Apresenta uma visão do trauma e do processo que o cura como fenômeno natural. Aborda a sabedoria inata para a cura que todos nós temos e a integra. Faremos uma jornada a algumas de nossas respostas biológicas mais primitivas. Você sairá da Parte I com uma compreensão maior do modo como o seu organismo opera e de como você pode trabalhar com ele para aumentar sua vitalidade e seu bem-estar, além de ampliar sua valorização geral da vida, quer você tenha sintomas de trauma ou não.

Nesta parte, há exercícios que o ajudarão a começar a conhecer a sensopercepção por experiência própria. Tais exercícios são importantes. Na verdade, não existe outro modo de transmitir como esse fascinante aspecto do ser humano opera. Para muitas pessoas, entrar no reino da sensopercepção é como entrar numa nova terra estranha, uma terra que elas visitavam frequentemente e nem se incomodavam em observar a paisagem. Quando você ler e experienciar esta parte, descobrirá que já conhece um pouco do que se diz sobre o modo como o seu corpo funciona.

Parte II — Sintomas do trauma. Descreve, de modo mais aprofundado, os elementos centrais de uma reação traumática, seus sintomas e a realidade em que vive uma pessoa traumatizada.

Parte III — Transformação e renegociação. Descreve o processo pelo qual podemos transformar nossos traumas, sejam eles pessoais ou sociais.

Parte IV — Primeiros socorros. Inclui informação prática para ajudar a impedir que o trauma se desenvolva depois de um acidente. Traz também uma breve discussão a respeito do trauma na infância. (Esse assunto será abordado exclusivamente num próximo livro.)

Acredito que todos nós precisamos entender a informação essencial desta obra. Essa informação aprofunda nossa experiência e compreensão do processo de cura do trauma e nos ajuda a desenvolver um senso de confiança em nosso organismo. Além disso, penso que essa informação é pertinente tanto no nível pessoal quanto no social. A magnitude do trauma gerado pelos acontecimentos que estão afetando o nosso mundo tem um preço para famílias, comunidades e populações inteiras. O trauma pode ser autoperpetuador. O trauma gera trauma e continuará a fazê-lo, cruzando gerações em famílias, comunidades e países, até darmos os passos para conter sua propagação. No momento, o tratamento do trauma em grupos de pessoas ainda está engatinhando. A Parte III inclui a descrição de uma abordagem de cura para ser usada em grupos, que está sendo desenvolvida por mim e por alguns colegas na Noruega.

Espero que este livro também seja útil para terapeutas treinados, pois com frequência recomendo aos indivíduos que estão trabalhando terapeuticamente consigo mesmos que procurem a ajuda de um profissional capacitado como aliado nesse processo. Poucos psicólogos têm *background* suficiente em fisiologia para reconhecer as aberrações que podem ser produzidas quando os processos fisiológicos não conseguem seguir um curso natural. No plano ideal, as informações aqui contidas introduzirão novas possibilidades para o tratamento do trauma. A experiência me ensinou que muitas das abordagens atualmente em uso para curar o trauma produzem, no melhor dos casos, apenas um alívio temporário. Alguns métodos catárticos que incentivam um reviver emocional intenso do trauma podem ser danosos. Acredito que, a longo prazo, as abordagens catárticas criam uma dependência da continuidade da catarse e incentivam a emergência das chamadas "memórias falsas". Por causa da natureza do trauma, há uma boa chance de que o reviver catártico de uma experiência possa ser traumatizante em vez de curativo.

A psicoterapia lida com um amplo aspecto de questões e problemas que vão muito além de um único tópico: trauma de choque, o foco deste livro. O choque traumático ocorre quando experienciamos acontecimentos potencialmente ameaçadores à vida que superam nossa capacidade de responder de modo eficaz. Em contraste, pessoas traumatizadas por abuso contínuo na infância, em especial se o abuso ocorreu no contexto familiar, podem sofrer de "trauma de desenvolvimento". Este se refere sobretudo a questões com base psicológica, que normalmente são consequência de cuidado e orientação inadequados durante os períodos críticos de desenvolvimento na infância. Embora as dinâmicas que os produzem sejam diferentes, a crueldade e a negligência podem resultar em sintomas que são semelhantes e com frequência entrelaçados com os do choque traumático. Por essa razão, as pessoas que experienciaram trauma de desenvolvimento precisam obter o apoio de um terapeuta para ajudá-las a trabalhar as questões que se entrelaçaram com suas reações traumáticas.

Acredito que as pessoas, em comunhão com a família e amigos, têm uma capacidade admirável para promover sua própria cura quando o trauma de choque é resultado de um acontecimento isolado ou de uma série de acontecimentos, desde que não haja um histórico consistente de traumas anteriores. Incentivo muito essa prática. Escrevi este livro numa linguagem relativamente não técnica. Ele se dirige também a pais, professores, profissionais que cuidam de crianças e a outros que servem como guias e modelos (de papéis) para elas, a fim de que possam lhes dar um presente de valor incalculável ao ajudá-las a resolver imediatamente suas reações a acontecimentos traumáticos. Além disso, médicos, enfermeiras, paramédicos, policiais, bombeiros, profissionais de resgate e outros que trabalham rotineiramente com vítimas de acidentes e de desastres naturais encontrarão aqui informações úteis, não só para o trabalho que fazem com essas pessoas traumatizadas, mas também para si mesmos. Testemunhar qualquer tipo de massacre humano, em especial quando isso acontece cotidianamente, cobra seu preço e, com frequência, é tão traumático quanto experienciar o acontecimento em primeira mão.

COMO USAR ESTE LIVRO

Dê a si mesmo tempo suficiente para absorver o material à medida que lê o livro. Faça os exercícios sugeridos. Faça-os de modo lento e suave. O trauma é resultado dos impulsos mais poderosos que o corpo humano pode produzir e exige respeito. Você não vai se machucar por passar rápido ou superficialmente pelo material, mas não obterá o mesmo benefício que conseguiria se desse a si mesmo tempo para digerir lentamente a informação.

Se em qualquer momento o material ou os exercícios parecerem perturbadores, pare e deixe que as coisas se acalmem. Reflita a partir da sua experiência e veja o que acontece. Muitas das visões errôneas a respeito do trauma são surpreendentemente profundas e podem afetar sua experiência e também sua atitude com relação a si mesmo. É importante reconhecer quando isso aconteceu. Se você mantiver parte da atenção em suas reações ao material, seu organismo vai guiá-lo no ritmo apropriado,

A sensação corporal, mais do que a emoção intensa, é a chave para a cura do trauma. Esteja atento a qualquer reação emocional que possa estar se expandindo interiormente e concentre-se no modo como o seu corpo está experienciando essas emoções em forma de sensações e pensamentos. Você precisará da ajuda de um profissional competente se suas emoções parecerem intensas demais, isto é, se sentir fúria, terror, impotência profunda etc.

O trauma não precisa ser uma condenação. Em última instância, dentre todas as doenças que atacam o organismo humano, o trauma pode ser aquela reconhecida como benéfica. Digo isso porque ocorre uma transformação durante a cura do trauma — transformação essa que pode aumentar a qualidade de vida. A cura não exige necessariamente drogas sofisticadas, procedimentos elaborados ou longas horas de terapia. Você começará a reconhecer os modos pelos quais seu organismo tenta curar a si mesmo quando compreender como o trauma acontece e aprender a identificar os mecanismos que evitam sua resolução. Você pode apoiar, em vez de impedir, essa capacidade inata de cura usando ideias e técnicas simples. As ferramentas que são apresentadas aqui o ajudarão a passar pelo trauma e a continuar em seu caminho com um senso de si mesmo mais certo e pleno. O trauma pode ser o inferno na terra, mas o trauma resolvido é um dom dos deuses — uma jornada heroica que pertence a cada um de nós.

PARTE I

O CORPO COMO CURADOR

Não importa onde estejamos, a sombra que trota
atrás de nós tem certamente quatro patas.
— Clarissa Pinkola Estes,
Mulheres que correm com os lobos

1. SOMBRAS DE UM PASSADO ESQUECIDO

[...] nossa mente ainda tem suas Áfricas mais escuras,
suas Bornéus não mapeadas e bacias Amazônicas.
— Aldous Huxley

O PLANO DA NATUREZA

Uma manada de impalas pasta pacificamente num vale exuberante. De repente, o vento muda de direção, trazendo um cheiro novo mas familiar. Os impalas sentem o perigo no ar e ficam imediatamente tensos e alertas, prontos para correr ao menor sinal. Eles farejam o ar, olham e escutam com cuidado por alguns momentos, mas, quando não aparece nenhuma ameaça, os animais voltam a pastar, relaxados, mas ainda vigilantes.

Sentindo o momento, um guepardo, que estava à espreita, salta de seu esconderijo no matagal denso. Como se fosse um só organismo, a manada se dirige rapidamente na direção de moitas protetoras na extremidade do vale. Um jovem impala titubeia por meio segundo e então se recupera. Mas é tarde demais. Como uma mancha, o guepardo dá o bote na direção de sua vítima, e a caça acontece na surpreendente velocidade de 90 a 100 quilômetros por hora.

No momento do contato (ou logo antes dele), o jovem impala cai no chão, rendendo-se à morte iminente, embora ele não pareça estar ferido ainda. O animal imóvel como pedra não está fingindo de morto. Ele entrou instintivamente num estado alterado de consciência, compartilhado por todos os mamíferos quando a morte parece iminente. Muitos povos indígenas encaram esse fenômeno como uma entrega do espírito da presa ao predador; o que, de certo modo, é.

Os fisiologistas chamam esse estado alterado de resposta de "imobilidade" ou de "congelamento". Ela é uma das três respostas primárias disponíveis a répteis e mamíferos quando esses são confrontados por uma ameaça avassaladora. As outras duas, luta e fuga, são muito mais familiares para a maioria de nós. Sabemos pouco sobre a resposta de imobilidade. Contudo, o meu trabalho nos últimos 25 anos levou-me a acreditar que esse é o fator isolado mais importante na descoberta do mistério do trauma humano.

A natureza desenvolveu a resposta de imobilidade por duas boas razões. A primeira razão é que ela funciona como uma estratégia de sobrevivência de última hora. Você poderia entender isso como "se fingir de morto". Veja, por exemplo, o jovem impala. Há uma possibilidade de que o guepardo decida arrastar sua presa "morta" para um lugar a salvo de outros predadores; ou para a própria toca, onde a comida pode depois ser compartilhada com seus filhotes. Durante esse período, o impala poderia despertar de seu estado congelado e realizar uma fuga impetuosa, num momento em que não estivesse sendo vigiado. Quando estiver fora de perigo, o animal irá literalmente sacudir para fora os efeitos residuais da resposta de imobilidade e reassumir pleno controle de seu corpo. Então ele voltará à sua vida normal, como se nada tivesse acontecido. A segunda razão é que, ao congelar, o impala (e os humanos) entra num estado alterado no qual não sente dor. Para o animal, isso significa que ele não terá de sofrer enquanto estiver sendo despedaçado pelos dentes e garras afiados do guepardo.

A maioria das culturas humanas tende a julgar essa entrega instintiva em face da ameaça avassaladora como uma fraqueza equivalente à covardia. Contudo, subjacente a esse julgamento, existe um profundo medo humano diante da imobilidade. Nós a evitamos porque ela é um estado muito semelhante à morte. Essa aversão é compreensível, mas pagamos caro por ela. A evidência fisiológica mostra claramente que a habilidade de entrar e sair dessa resposta natural é a chave para evitar os efeitos debilitantes do trauma. Ela é uma dádiva do selvagem para nós.

POR QUE OLHAR PARA O SELVAGEM? O TRAUMA É FISIOLÓGICO

Tão certo como ouvimos o sangue em nossos ouvidos,
os ecos de um milhão de guinchos noturnos de macacos,
cuja última visão do mundo foram os olhos de uma
pantera, têm suas marcas em nosso sistema nervoso.
— Paul Shepard[4]

A chave para curar os sintomas traumáticos em humanos está em nossa fisiologia. Quando confrontados com o que é percebido como uma ameaça inevitável ou avassaladora, humanos e animais usam a resposta de imobilidade. É importante entender que essa função é involuntária. Isso simplesmente significa que o mecanismo fisiológico que governa essa resposta está nas partes primitivas e instintivas de nosso cérebro e sistema nervoso, ou seja, não está sob nosso controle consciente. É por isso que sinto que o estudo do comportamento animal é essencial para a compreensão e a cura do trauma humano.

As porções involuntárias e instintivas do cérebro e do sistema nervoso humano são virtualmente idênticas às dos outros mamíferos e até mesmo às dos répteis. O nosso cérebro, que, com frequência, é chamado de cérebro trino, consiste em três sistemas integrados. As três partes são normalmente conhecidas como cérebro reptiliano (instintivo), cérebro mamífero ou límbico (emocional) e cérebro humano ou neocórtex (racional). Como as partes do cérebro que são ativadas por uma situação percebida como de ameaça à vida são as que compartilhamos com os animais, podemos aprender muito ao estudar como alguns deles, como, por exemplo, o impala, evitam a traumatização. Para levar isso um passo adiante, acredito que a chave para curar os sintomas traumáticos nos humanos está em sermos capazes de espelhar a adaptação fluida dos animais selvagens quando

4. SHEPARD, Paul. *The others — How animals made us human*. Washington: Island Press, 1996.

eles se sacodem, saem da resposta de imobilidade e reassumem novamente toda sua mobilidade e funcionalidade.

Ao contrário dos animais selvagens, nós, humanos, quando ameaçados, nunca achamos fácil resolver o dilema: lutar ou fugir. Esse dilema vem, pelo menos em parte, do fato de que nossa espécie teve tanto o papel de predador quanto o de presa. Os povos pré-históricos, embora muitos fossem caçadores, passavam longos dias, amontoados em cavernas frias, sabendo que poderiam, a qualquer momento, ser apanhados e despedaçados.

Nossas chances de sobrevivência aumentaram depois que nos juntamos em grupos maiores, descobrimos o fogo e inventamos ferramentas, dentre elas, as armas, usadas para a caça e a autodefesa. Contudo, a memória genética de ter sido uma presa fácil se manteve em nosso cérebro e sistema nervoso. Sem ter a rapidez de um impala, nem as garras e dentes letais de um guepardo à espreita, o cérebro humano costuma duvidar de nossa capacidade de agir de um modo que preserve a vida. Essa incerteza nos tornou especialmente vulneráveis aos poderosos efeitos do trauma. Animais ágeis e rápidos, como o impala, sabem que eles são a presa e têm intimidade com seus recursos de sobrevivência. Eles sentem o que precisam fazer e o fazem. Do mesmo modo, o *sprint* de 100 quilômetros por hora e os dentes e garras perigosos do guepardo fazem que ele seja um predador seguro de si.

A linha não está tão claramente demarcada para o animal humano. Quando nos confrontamos com uma situação de ameaça à vida, nosso cérebro racional tende a ficar confuso e dominar nossos impulsos instintivos. Embora essa dominância possa ocorrer por uma boa razão, a confusão que a acompanha cria o cenário para o que chamo de "complexo de Medusa" — o drama chamado trauma.

A confusão humana que por vezes resulta do confronto com a morte pode nos transformar em pedra, como acontecia no mito grego da Medusa. Nós literalmente congelamos de medo, o que resulta na criação de sintomas traumáticos.

O trauma é um fato que permeia a vida moderna. A maioria de nós foi traumatizada, não só os soldados ou as vítimas de abuso ou de ataques. Tanto as fontes quanto as consequências do trauma têm uma grande amplitude e, em geral, estão ocultas de nossa consciência. Elas incluem os desastres naturais (isto é, terremotos, tornados, inundações e incêndios), exposição à violência, acidentes, quedas, doenças graves, perda súbita de uma pessoa amada, procedimentos cirúrgicos — médicos e/ou dentários —, partos difíceis e altos níveis de estresse durante a gestação.

Felizmente, como somos seres instintivos, com capacidade de sentir, responder e refletir, temos o potencial inato para curar até mesmo os ferimentos traumáticos mais debilitantes. Também estou convencido de que, como comunidade humana global, podemos começar a nos curar dos efeitos de traumas sociais de larga escala, como guerras e desastres naturais.

TRATA-SE DE ENERGIA

Os sintomas traumáticos não são causados pelo acontecimento desencadeador em si mesmo. Eles vêm do resíduo congelado de energia que não foi resolvido e descarregado; esse resíduo permanece preso no sistema nervoso, onde pode causar danos a nosso corpo e espírito. Os sintomas em longo prazo do transtorno de estresse pós-traumático — alarmantes, debilitantes e frequentemente bizarros — se desenvolvem quando não conseguimos completar o processo de entrar, atravessar e sair da "imobilidade" ou do estado de "congelamento". Contudo, podemos descongelar, ao iniciar e incentivar nosso impulso inato a retornar a um estado de equilíbrio dinâmico.

Voltemos à caçada. A energia no sistema nervoso de nosso jovem impala, enquanto foge do guepardo que o persegue, está carregada de 100 quilômetros por hora. No momento em que o guepardo desfere seu ataque final, o impala cai. Externamente, ele parece imóvel e morto, mas, internamente, seu sistema nervoso ainda está sobrecarregado de 100 quilômetros por hora. Embora ele esteja parado como morto, o que está acontecendo no corpo do impala é semelhante ao que ocorre em seu carro se você pisar no acelerador e no freio ao mesmo tempo. A diferença entre a corrida interna do sistema nervoso (motor) e a imobilidade externa (freio) do corpo cria uma poderosa turbulência, semelhante a um tornado, dentro do nosso corpo.

Esse tornado de energia é o ponto focal a partir do qual se formam os sintomas de estresse traumático. Para visualizar o poder dessa energia, imagine que você está fazendo amor com seu parceiro, que você está quase no clímax, quando de repente alguma força exterior o faz parar. Agora, multiplique essa sensação de contenção por cem, e você pode se aproximar da quantidade de energia evocada por uma experiência que ameace a vida.

Um humano ameaçado (ou um impala) precisa descarregar toda a energia mobilizada para negociar essa ameaça ou se tornará uma vítima do trauma. A energia residual não vai simplesmente embora. Ela persiste no corpo e, com frequência, impele a formação de uma grande variedade de sintomas, como ansiedade, depressão e problemas psicossomáticos e comportamentais. Esses sintomas são o modo de o organismo conter (ou encurralar) a energia residual não descarregada.

Os animais no ambiente selvagem descarregam instintivamente toda a sua energia comprimida e raramente desenvolvem sintomas adversos. Nós, humanos, não somos tão competentes nesse ambiente. Tornamo-nos vítimas do trauma quando somos incapazes de liberar essas forças poderosas. Podemos ficar presos a essas energias por nossas tentativas quase sempre malsucedidas de descarregá-las. Sem saber, criamos repetidamente situações em que existe a possibilidade de nos libertar da armadilha do trauma, mas nas quais a maioria de nós falha por não ter os recursos e as ferramentas adequadas, como uma mariposa que é atraída para a chama. Infelizmente, o resultado é que muitos de nós ficamos crivados de medo e ansiedade, e nunca somos totalmente capazes de nos sentir à vontade conosco ou com nosso mundo.

Muitos veteranos de guerra e vítimas de estupro conhecem bem demais esse cenário. Eles podem passar meses ou até mesmo anos falando sobre suas experiências, revivendo-as, expressando sua raiva, medo e tristeza, mas, sem passar pelas "respostas de imobilidade" primitivas e liberar a energia residual, permanecem presos ao labirinto traumático e continuam experienciando desconforto.

Felizmente, as mesmas energias imensas que criam os sintomas do trauma, quando adequadamente envolvidas e mobilizadas, podem transformá-lo e nos impelir a novos níveis de cura, domínio e até mesmo de sabedoria. O trauma resolvido é uma grande dádiva, pois nos devolve ao mundo natural de marés e fluxo, harmonia, amor e compaixão. Tendo passado os últimos 25 anos trabalhando com pessoas que foram traumatizadas de quase todos os modos concebíveis, acredito que nós, humanos, temos a capacidade inata de curar não só a nós mesmos, mas também nosso mundo dos efeitos debilitantes do trauma.

2. O MISTÉRIO DO TRAUMA

O QUE É TRAUMA?

Recentemente, ao descrever meu trabalho para um empresário, ele exclamou: "Deve ter sido trauma o que minha filha sofreu quando teve aqueles ataques de gritos durante o sono. O psicólogo ao qual a levei me disse que eram 'apenas pesadelos'. Eu sabia que não eram apenas pesadelos". Ele estava certo. Sua filha tinha ficado muito amedrontada por um procedimento de rotina num pronto-socorro; durante semanas depois do incidente, ela gritava e chorava enquanto dormia, e seu corpo ficava quase completamente rígido. Os pais, preocupados, eram incapazes de acordá-la. Há uma probabilidade muito grande de que ela estivesse tendo uma reação traumática à sua estada no hospital.

Muitas pessoas, como esse empresário, em algum momento da vida, tiveram alguma experiência inexplicável ou observaram algo assim numa pessoa próxima. Nem todos esses acontecimentos inexplicáveis são sintomas de trauma, mas muitos são. Os profissionais de "ajuda" tendem a descrever o trauma por meio do acontecimento que o provocou em vez de defini-lo em seus próprios termos. Pode ser difícil reconhecer o trauma, uma vez que não existe uma maneira de defini-lo com precisão.

A definição oficial que psicólogos e psiquiatras usam para diagnosticar o trauma é que ele é causado por um acontecimento estressante "que está fora da amplitude da experiência humana usual, que seria marcantemente perturbador para quase qualquer pessoa"[5]. Essa definição abrange as seguintes experiências incomuns: "ameaça grave à vida ou integridade física; ameaça grave ou dano aos filhos, ao cônjuge ou a outros parentes próximos ou amigos; destruição repentina da casa ou da comunidade; ver outra pessoa que foi gravemente ferida ou morta em consequência de um acidente ou de violência física".

Essa descrição é útil como ponto de partida, mas também vaga e enganosa. Quem pode dizer o que estaria "fora da amplitude da experiência humana usual", ou o que seria "marcantemente perturbador para quase qualquer pessoa"? Os acontecimentos mencionados na definição são qualificadores úteis, mas existem muitos outros acontecimentos potencialmente traumatizantes que caem em zonas cinzentas. Acidentes, quedas, doenças e cirurgias que o corpo inconscientemente percebe como ameaçadoras muitas vezes não são vistas como estando fora da amplitude da experiência humana usual. Porém, é comum que esses acontecimentos sejam traumatizantes. Além disso, estupros, tiroteios e outras tragédias acontecem repetidamente em muitas comunidade e, embora possam ser considerados como estando dentro da amplitude da experiência usual, sempre serão traumáticos.

A cura do trauma depende do reconhecimento dos sintomas. Os sintomas traumáticos, em geral, são difíceis de reconhecer, pois em grande medida são consequências de respostas primitivas. As pessoas não precisam de uma definição de trauma; precisam da experiência de sua sensação. Uma de minhas clientes descreveu a seguinte experiência:

Meu filho de 5 anos e eu estávamos jogando bola no parque quando ele jogou a bola bem longe de mim. Enquanto eu estava indo buscar a bola, ele correu para uma rua movimentada para pegar outra bola que tinha visto. Quando peguei a bola que estávamos jogando, ouvi o

5. American Psychiatric Association. *Diagnostic and Statistic Manual of Mental Disorders*, DSM III, ed. rev., 1993.

barulho de um carro freando fortemente e cantando os pneus. Soube na hora que Joey tinha sido atropelado. Meu coração parecia estar batendo na boca do estômago. Todo o sangue em meu corpo parecia ter parado de circular e descido para meus pés. Sentindo-me branca como um fantasma, comecei a correr em direção à multidão que tinha se juntado na rua. Minhas pernas estavam pesadas como chumbo. Eu não conseguia vê-lo, mas, com certeza, ele estava envolvido no acidente. Meu coração se apertou e constringiu e depois se expandiu, enchendo meu peito de horror. Empurrei a multidão e caí sobre o corpo inerte de Joey. O carro tinha arrastado seu corpo por vários metros, antes de parar. Seu corpo estava ensanguentado e com arranhões, suas roupas estavam rasgadas, e ele ali, totalmente imóvel. Sentindo-me em pânico e impotente, tentei freneticamente fazer alguma coisa. Tentei limpar o sangue, mas só consegui espalhá-lo. Tentei colocar suas roupas rasgadas no lugar. Eu ficava pensando: "Não, isso não está acontecendo. Respire Joey, respire". Debruçava-me sobre ele, pressionando meu coração contra o dele, como se pudesse transmitir-lhe minha força vital. Um entorpecimento começou a tomar conta de mim, à medida que eu sentia me afastar da cena. Eu estava apenas me mexendo agora. Não sentia mais nada.

As pessoas que experienciaram um trauma dessa magnitude realmente sabem o que ele é; e suas respostas a ele são básicas e primitivas. Com essa mulher infeliz, os sintomas foram brutalmente claros e imperativos. Para muitos de nós, contudo, eles são mais sutis. Podemos aprender a identificar uma experiência traumática ao explorar nossas reações. Uma vez identificada, há uma sensação inequívoca. Examinemos um acontecimento que está claramente fora da amplitude da experiência usual.

CHOWCHILLA, CALIFÓRNIA

Num dia abafado no verão de 1976, 26 crianças, de 5 a 15 anos de idade, foram raptadas de um ônibus escolar, nas redondezas de uma pequena cidade da Califórnia. Elas foram empurradas para duas *vans* escuras, levadas a uma pedreira abandonada e depois aprisionadas numa galeria subterrânea por aproximadamente trinta horas. Depois de fugirem, foram imediatamente levadas para o hospital local. Lá, receberam tratamento para os ferimentos físicos, mas voltaram para casa sem nem sequer passar por exames psicológicos superficiais. Os dois médicos do hospital diziam que as crianças estavam "bem". Eles simplesmente não reconheciam que alguma coisa poderia estar errada ou que as crianças precisavam ser acompanhadas de perto. Alguns dias depois, um psiquiatra local conversou com os pais das crianças de Chowchill e afirmou enfaticamente que poderia haver um problema psicológico em apenas uma delas. O psiquiatra estava errado, embora estivesse seguindo a crença psiquiátrica padrão daquela época.

Oito meses depois do acontecimento, outro psiquiatra, Lenore Terr, começou um dos primeiros estudos científicos de acompanhamento de crianças que haviam sido traumatizadas. O estudo incluiu essas crianças. Terr descobriu que em vez de uma das 26 crianças mostrar efeitos posteriores, o contrário era verdadeiro — quase todas apresentavam graves distúrbios de funcionamento psicológico, clínico e social. Para muitas delas, o pesadelo apenas havia começado. Elas experienciavam pesadelos recorrentes, tendências violentas e diminuição da capacidade de se relacionar normalmente com as pessoas e o ambiente. Os efeitos eram tão debilitantes que a vida e a estrutura familiar dessas crianças foram destruídas nos anos que se seguiram. A criança que foi afetada menos gravemente foi um garoto de 14 anos, Bob Barklay. Aqui está um breve resumo do que aconteceu com ele durante o acontecimento traumático.

As crianças foram aprisionadas num "buraco" (um trailer enterrado abaixo de centenas de quilos de sujeira e pedras numa pedreira abandonada) por quase um dia. Quando uma delas se apoiou numa trave de madeira que estava segurando o teto, o suporte improvisado caiu e o teto começou a ruir sobre elas. Nesse momento, a maioria delas estava em grave choque — congeladas e apáticas, eram quase incapazes de se mover. As crianças que perceberam a gravidade da situação começaram a gritar. Elas compreendiam que, se não conseguissem escapar logo, todas morreriam. Foi nesse momento de crise que Bob Barklay pediu a ajuda de outro garoto para cavar uma saída para eles. Seguindo a liderança de Bob, os meninos foram capazes de remover sujeira suficiente para cavar um pequeno túnel pelo teto e sair da pedreira.

Bob foi capaz de responder à crise e permanecer ativamente mobilizado durante a fuga. Apesar de as outras crianças terem fugido com ele, muitas delas pareciam sentir mais medo de fugir do que de ser soterradas. Elas teriam ficado ali, impotentes, se não tivessem sido muito incentivadas a fugir. Movendo-se como zumbis, tiveram de ser arrastadas para a liberdade. Essa passividade é similar ao comportamento observado pelas equipes militares especializadas em libertar reféns. Ele é chamado de "síndrome de Estocolmo". Com frequência, os reféns não se mexem a menos que recebam ordens repetidas para fazê-lo.

O MISTÉRIO DO TRAUMA

Bob Barklay superou um desafio extraordinário ao libertar as outras crianças. Naquele dia em Chowchilla, Bob foi sem dúvida um herói. Contudo, o mais importante para a vida dele, e para qualquer pessoa interessada em trauma, é que ele saiu sem o mesmo nível de efeitos posteriores traumáticos debilitantes das outras 25 crianças. Ele foi capaz de continuar em movimento e fluir pela resposta de imobilidade que sobrecarregou e incapacitou completamente os outros. Algumas crianças estavam tão aterrorizadas que o medo continuou a sobrecarregá-las e imobilizá-las muito tempo depois de o perigo real ter acabado.

Esse é um tema presente em pessoas traumatizadas. Elas são incapazes de superar a ansiedade da experiência que vivenciaram. Permanecem sobrecarregadas, derrotadas e aterrorizadas pelo acontecimento. São incapazes de se envolver novamente com a vida, pois estão virtualmente aprisionadas em seu medo. Outras pessoas que experienciam acontecimentos semelhantes podem não ter nenhum sintoma duradouro. O trauma afeta alguns de nós, de maneiras misteriosas. Essa é uma delas. Não importa quão assustador possa parecer um acontecimento, nem todos que o experienciarem serão traumatizados. Por que algumas pessoas, como Bob Barklay, enfrentam com sucesso esses desafios, enquanto outras, que não parecem ser menos inteligentes ou capazes, ficam completamente debilitadas? E muito importante: quais são as implicações em relação àqueles que já estão debilitados por traumas anteriores?

DESPERTANDO O TIGRE: UM PRIMEIRO VISLUMBRE

O trauma era um completo mistério para mim quando comecei a trabalhar com ele. Minha primeira compreensão importante se deu de modo inesperado em 1969, quando me foi encaminhada uma mulher, Nancy, que estava sofrendo de intensos ataques de pânico. Os ataques eram tão graves que ela era incapaz de sair sozinha de casa. Ela havia sido encaminhada por um psiquiatra que sabia de meu interesse em abordagens de cura que envolvessem o corpo e a mente (um campo novo e obscuro naquela época). Ele pensou que algum tipo de treino de relaxamento poderia ser útil.

O relaxamento não era a resposta. Em nossa primeira sessão, quando ingenuamente e com a melhor das intenções, tentei ajudá-la a relaxar, ela teve um ataque pleno de ansiedade. Parecia paralisada e incapaz de respirar. Seu coração estava batendo loucamente e, depois, parecia quase parar. Fiquei bastante assustado. Será que eu tinha aberto os portões do inferno para ela? Entramos juntos no pesadelo daquele ataque.

Rendendo-me a meu próprio e intenso medo, mas, de algum modo, conseguindo permanecer presente, tive uma visão fugidia de um tigre pulando em nossa direção. Levado pela experiência, exclamei: “Você está sendo atacada por um grande tigre. Veja o tigre enquanto ele vem em sua direção. Corra para aquela árvore; suba nela e fuja dele!” Para minha surpresa, as pernas dela começaram a tremer, fazendo movimentos de corrida; ela soltou um grito de gelar o sangue que atraiu um policial que passava pela rua (felizmente, meu colega de consultório conseguiu explicar a situação). Então, começou a tremer, chacoalhar e soluçar em ondas convulsivas que envolviam todo o seu corpo.

Nancy continuou a chacoalhar por quase uma hora. Ela se lembrou de um episódio assustador pelo qual passara quando criança. Aos 3 anos de idade, havia sido amarrada a uma mesa para que suas amígdalas fossem extraídas, e a anestesia tinha sido éter. Sem poder se mover, ela havia tido alucinações atemorizantes e se sentido sufocada (reações comuns ao éter). Essa experiência inicial teve um profundo impacto sobre ela. Como as crianças traumatizadas de Chowchilla, Nancy estava ameaçada, sobrecarregada e, em consequência disso, ficara fisiologicamente atolada na resposta de imobilidade. Em outras palavras, o corpo dela tinha literalmente se resignado a permanecer em um estado no qual o ato de fugir não podia existir. E, junto com essa resignação, ocorreu a perda generalizada de seu eu real e vital, bem como a perda de uma personalidade segura e espontânea. Vinte anos depois do acontecimento traumatizante, Nancy estava numa sala lotada, fazendo uma prova universitária, quando começou a ter um grave ataque de pânico. Mais tarde, desenvolveu agorafobia (medo de lugares abertos, lugares públicos). A experiência foi tão extrema e aparentemente irracional que ela sabia que precisava procurar ajuda.

Depois do que aconteceu em nossa primeira consulta, Nancy saiu de meu consultório sentindo-se, segundo suas próprias palavras, "como se fosse ela mesma novamente". O ataque de ansiedade que tinha experienciado naquele dia fora o último, embora tenhamos continuado a trabalhar juntos por mais algumas sessões, nas quais ela tremeu e ficou levemente sufocada. Nancy parou de tomar remédios para controlar os ataques e, depois, voltou à universidade, onde completou seu doutorado, sem ter recaídas.

Na época em que conheci Nancy, eu estava estudando o comportamento predador-presa em animais e me via intrigado pela semelhança entre a paralisia de Nancy quando seu ataque de pânico começava e o que acontecia ao impala descrito no capítulo anterior. A maioria das presas animais usa a imobilidade quando é atacada por um grande predador, do qual não consegue escapar. Tenho certeza de que esses estudos influenciaram fortemente a visão fortuita do tigre imaginário. Durante vários anos depois disso, trabalhei para entender o significado do ataque de ansiedade de Nancy e a resposta dela à imagem do tigre. Houve muitos desvios e atalhos errados nesse caminho.

Agora eu sei que não foram a catarse emocional dramática e o reviver da cirurgia de retirada de amígdalas os catalisadores na recuperação de Nancy, mas sim a descarga de energia que ela experienciou quando saiu de sua resposta de imobilidade passiva e congelada para uma fuga ativa e bem-sucedida. A imagem do tigre despertou o eu instintivo e responsivo dela. O outro *insight* profundo que obtive com a experiência de Nancy foi que os recursos que fazem que uma pessoa seja bem-sucedida diante de uma ameaça podem ser usados para a cura. Isso é verdadeiro não só no momento da experiência, mas inclusive anos depois do acontecimento.

Aprendi que era desnecessário escavar velhas memórias e reviver uma dor emocional para curar o trauma. Na verdade, a dor emocional severa pode ser retraumatizante. O que precisamos fazer para nos libertar de nossos sintomas e medos é evocar nossos recursos fisiológicos profundos e utilizá-los conscientemente. Se permanecêssemos ignorantes de nosso poder para mudar o curso de nossas respostas instintivas para um modo proativo em vez de reativo, continuaríamos aprisionados e sofrendo.

Bob Barklay minimizou o impacto traumático de sua experiência ao permanecer envolvido na tarefa de libertar a si mesmo e as outras crianças da galeria subterrânea. A energia focalizada que ele gastou para fazer isso é a chave para explicar a razão pela qual ele foi menos traumatizado do que as outras crianças. Ele não só se tornou um herói no momento, mas também ajudou a evitar que seu sistema nervoso ficasse sobrecarregado, nos anos seguintes, pela energia não descarregada e pelo medo.

Nancy tornou-se uma heroína vinte anos depois. Os movimentos de corrida que as pernas dela fizeram quando respondeu ao tigre imaginário permitiram que ela fizesse a mesma coisa. Essa resposta ajudou-a a livrar seu próprio sistema nervoso de um excesso de energia que tinha sido mobilizado para lidar com a ameaça que vivenciara durante a retirada das amígdalas. Ela foi capaz, muito depois do trauma original, de despertar sua capacidade para o heroísmo e para fugir ativamente — como fez Bob Barklay. A longo prazo, os resultados foram semelhantes para Bob e para Nancy. Ambos foram capazes de continuar com a vida, livres dos efeitos debilitantes que acometem tantas pessoas traumatizadas. À medida que o trabalho se desenvolvia, aprendi que o processo de cura era mais eficaz se fosse menos dramático e realizado de modo mais gradual. A lição mais importante que aprendi foi que todos nós temos capacidade para curar nossos traumas.

Em geral, quando não somos capazes de fluir pelo trauma e completar as respostas instintivas, essas ações incompletas erodem nossa vida. O trauma não resolvido pode nos tornar excessivamente cautelosos e inibidos, ou fazer-nos entrar em círculos cada vez mais apertados de reatuação perigosa, vitimização e exposição temerária ao perigo, tornando-nos vítimas perpétuas ou eternos clientes de terapia. O trauma pode destruir a qualidade de nossos relacionamentos e distorcer as experiências sexuais. Comportamentos sexuais compulsivos, perversos, promíscuos e inibidos são sintomas comuns de trauma. Os efeitos do trauma podem ser generalizados e globais ou sutis e fugidios. Quando não resolvemos nossos traumas, sentimos que fracassamos, ou que fomos traídos por aqueles que escolhemos para nos ajudar. Não precisamos culpar a nós mesmos ou os outros por esse fracasso ou traição. A solução para o problema está em ampliar nosso conhecimento sobre como curar o trauma.

Até que entendamos que os sintomas traumáticos são fisiológicos e psicológicos, seremos infelizes em nossas tentativas de curá-los. O cerne da questão está em ser capaz de reconhecer que o trauma representa os instintos animais que foram distorcidos. Ao serem dominados, esses instintos podem ser usados pela mente consciente para transformar os sintomas traumáticos num estado de bem-estar.

3. FERIMENTOS QUE PODEM SER CURADOS

Os atos devem ser realizados até que estejam completos.
Qualquer que seja seu ponto de partida, o fim será belo.
É (somente) quando uma ação não foi completada que ela é vil.
— Jean Genet, *Thiefs journal*[6]

Quando uma árvore jovem é ferida, ela cresce em volta desse ferimento. Conforme a árvore continua a se desenvolver, a ferida torna-se relativamente pequena em proporção ao tamanho da árvore. Troncos nodosos e galhos disformes nos contam a respeito de ferimentos e obstáculos que foram encontrados e superados. O modo como uma árvore cresce ao redor de seu passado contribui para sua deliciosa individualidade, caráter e beleza. Eu certamente não aconselho a traumatização para construir o caráter, mas como o trauma ocorrerá em algum ponto de nossa vida, a imagem da árvore pode ser um bom espelho.

Embora os seres humanos tenham experienciado o trauma por milhares de anos, apenas nos últimos dez o tema começou a receber ampla atenção profissional e pública. O trauma é agora uma palavra familiar, com confissões verdadeiras feitas por astros que aparecem nos jornais semanais. Nesse contexto, o trauma tem sido associado sobretudo ao abuso sexual. Vemos poucas evidências de cura do trauma, apesar do crescente interesse profissional e do sensacionalismo e da saturação desse tema nos meios de comunicação.

6. Em português: *Diário de um ladrão*. Rio de Janeiro: Nova Fronteira, 2015. [N. E.]

As estatísticas mostram que uma de três mulheres e um de cinco homens sofreram abusos sexuais na infância. Existe pouco entendimento a respeito das condições necessárias para a cura, apesar do maior reconhecimento do abuso sexual. Por exemplo, muitos indivíduos traumatizados se identificam e se agrupam como vítimas. Embora esse talvez seja um primeiro passo útil para a cura, ele pode interferir na recuperação, caso continue por um tempo indefinido. O abuso sexual é uma das muitas formas de trauma. Não importa qual seja a fonte, teremos uma probabilidade muito maior de nos curar dos efeitos do trauma se criarmos um contexto positivo. A imagem da árvore madura, cheia de caráter e beleza, funcionará melhor para nós do que negarmos a experiência ou nos identificarmos como vítimas e sobreviventes.

As raízes do trauma estão em nossa fisiologia instintiva. Em consequência disso, é por intermédio de nosso corpo e de nossa mente que descobrimos a chave para a cura. Cada um de nós precisa encontrar essas raízes, percebendo que temos uma escolha — talvez a maior de nossa vida. A cura do trauma é um processo natural que pode ser acessado pela consciência interna do corpo. Não requer anos de terapia psicológica, nem que as lembranças sejam reiteradamente evocadas e expurgadas do inconsciente. Veremos que, com frequência, a busca infindável das chamadas "memórias traumáticas" e a retomada dessas memórias podem interferir na sabedoria inata dos organismos para a cura.

Meu trabalho com pessoas traumatizadas levou-me a concluir que os sintomas pós-traumáticos são, fundamentalmente, respostas fisiológicas incompletas suspensas no medo. As reações a situações de ameaça à vida continuam aparecendo como sintomas até que se resolvam. O estresse pós-traumático é um exemplo. Esses sintomas não desaparecerão até que as respostas sejam descarregadas e resolvidas. A energia presa na imobilidade pode ser transformada, como vimos nos casos de Bob Barklay e Nancy (veja o Capítulo 2). Ambos conseguiram realizar a mobilização biológica e a descarga da energia de sobrevivência, o que lhes permitiu voltar à plena vitalidade.

Um pássaro que bate numa janela, confundindo-a com o céu aberto, parecerá estar inconsciente ou até mesmo morto. Uma criança que vê a colisão do pássaro com a janela achará difícil se manter afastada do animal ferido. Ela pode pegá-lo, cheia de curiosidade, preocupação ou de vontade de ajudar. O calor de suas mãos facilitará que o pássaro retorne a suas funções normais. Quando o animalzinho começar a tremer, mostrará sinais de que está se reorientando no ambiente. Ele vai titubear um pouco, tentar retomar o equilíbrio e olhar ao redor. Se não estiver ferido e conseguir passar pelo processo de tremer e reorientar-se sem interrupções, passará pela fase de imobilização e voará sem ter sido traumatizado. Se o tremor for interrompido, o animal sofrerá sérias consequências. Se a criança tentar segurar o pássaro quando ele começar a mostrar sinais de vida, o processo de reorientação será perturbado, fazendo que ele volte para a resposta de congelamento. Se o processo de descarga for repetidamente perturbado, cada estado de choque sucessivo demorará cada vez mais. Em consequência, o pássaro pode morrer de medo — sobrecarregado pela própria impotência.

Os seres humanos sofrem quando são incapazes de descarregar a energia que está trancada internamente pela resposta de congelamento, embora raramente morramos. O veterano traumatizado, o sobrevivente de estupro, a criança abusada, o impala e o pássaro, todos foram confrontados com situações avassaladoras[7] por causa disso. Se eles foram incapazes de se orientar e escolher entre lutar ou fugir, irão congelar ou colapsar. Aqueles que forem capazes de descarregar essa energia se recuperarão. Em vez de se mover pela resposta de congelamento, como os animais em geral fazem, os humanos, com frequência, iniciam uma espiral descendente caracterizada por uma série de sintomas cada vez mais debilitantes. Para nos movermos pelo trauma, precisamos de tranquilidade, segurança e uma prote-

7. Em inglês, *overwhelming*. Refere-se à intensidade da experiência, que vai além das possibilidades da pessoa de integrá-las. Neste livro, a palavra foi traduzido como avassaladora, muito intensa, fortíssima, sobrepujante, conforme o contexto em que estava inserida. [N. T.]

ção semelhante à oferecida ao pássaro pelo calor suave das mãos da criança. Necessitamos do apoio de amigos e parentes e também da natureza. Com esse apoio e conexão, começaremos a confiar e a honrar o processo natural que nos levará à completude e à totalidade — e, eventualmente, à paz.

Oliver Sacks, autor de O *homem que confundiu sua mulher com um chapéu* e *Enxaqueca*, descreve neste livro os ataques persistentes de enxaqueca sofridos por vários pacientes. *Migraine*, ou enxaqueca, é uma reação de estresse do sistema nervoso e muitas vezes está relacionada com reações pós-traumáticas (congelamento). Sacks faz um relato fascinante a respeito de um matemático que tinha um ciclo semanal de enxaqueca. Na quarta-feira, ele ficava nervoso e irritadiço. Na quinta e na sexta-feira, o estresse piorava tanto que ele não conseguia trabalhar. No sábado, ele ficava muito agitado, e, no domingo, tinha outro forte ataque. Contudo, no domingo à tarde, a enxaqueca se dissipava e desaparecia. Depois da descarga da enxaqueca, o homem experienciava um renascimento criativo e cheio de esperança. Na segunda e na terça-feira, sentia-se renovado, rejuvenescido, calmo e criativo; e trabalhava efetivamente até a quarta-feira, quando a irritabilidade reaparecia e todo o ciclo se repetia.

Ao usar medicação para aliviar os sintomas de enxaqueca de seu paciente, Sacks percebeu que também havia bloqueado a fonte criativa daquele homem: "Quando 'curei' esse homem de suas enxaquecas, também o 'curei' de sua matemática [...] A criatividade desapareceu junto com a patologia". Sacks explica que, depois dos ataques de enxaqueca, os pacientes podem transpirar um pouco e deixar escapar um pouco de urina, naquilo que ele descreve como uma "catarse fisiológica". Essas reações não ocorriam quando o homem estava medicado. De modo semelhante, com frequência, algumas gotas de suor quente acompanham a resolução e a cura do trauma. Com a capacidade inata de curar, o corpo passa dos arrepios apreensivos para uma ativação crescente, com ondas de calor úmido derretendo, por meio desse movimento, o *iceberg* criado pelo trauma. A ansiedade e o desespero podem se transformar numa fonte criativa quando nos permitimos experienciar as sensações corporais, como o tremor, que provêm dos sintomas traumáticos.

A energia, o potencial e os recursos necessários para a transformação construtiva dos sintomas do trauma estão contidos neles mesmos. O processo de cura criativa pode ser bloqueado de diversas maneiras — usando drogas para suprimir os sintomas, enfatizando o ajustamento ou o controle, ou negando e invalidando sentimentos e sensações.

O TRAUMA NÃO É UMA DOENÇA, MAS UM MAL-ESTAR

No artigo "Wounds that never heal" [Feridas que nunca cicatrizam], publicado no The New Yok Times em 1990, o psicólogo e jornalista científico Daniel Goleman relata a visão médica dominante de que o trauma é uma doença irreversível. Tem-se a esperança de que seja descoberta uma bala mágica (como o Prozac) que cure essa "doença cerebral". Goleman cita o dr. Dennis Charney, um psiquiatra de Yale:

> Não importa se foi o terror incessante do combate, da tortura ou de repetidos abusos na infância, ou uma experiência única, como ser arrastado por um furacão ou quase morrer num acidente de carro. Todo estresse incontrolável pode ter o mesmo impacto biológico [...]. As vítimas de um trauma muito forte *podem nunca mais ser as mesmas biologicamente.* (grifos meus)

O trauma evoca uma resposta biológica que precisa permanecer fluida e com capacidade de se adaptar, e não fixada e não adaptada. Uma resposta não adaptada não é necessariamente uma doença, mas um mal-estar — um desconforto que pode ir de um leve incômodo à debilitação completa. O potencial para a fluidez ainda existe na não adaptação e precisa ser evocado para que haja a restauração do bem-estar e do pleno funcionamento. Se essas energias presas não puderem se mover, e o trauma se tornar crônico, talvez seja necessário muito tempo e/ou muita energia para recobrar o equilíbrio e a saúde da pessoa.

No mesmo artigo, Goleman cita o dr. Nemeroff, outro pesquisador: se o escapamento de um carro faz um ruído de explosão num estacionamento, o indivíduo traumatizado é inundado pelas mesmas sensações do trauma original; ele começa a suar, fica com medo, tem calafrios e tremores.

Para esse pesquisador, o próximo passo é "desenvolver drogas que ajam contra essa reação [de tremor]". As drogas ajudam a dar tempo para que os indivíduos traumatizados se estabilizem. Contudo, interferem na cura quando são usadas por períodos prolongados a fim de suprimir a própria resposta equilibradora do corpo ao estresse. O organismo precisa do chacoalhar e do tremor espontâneos, que vemos em todo o mundo animal, para completar seu curso de ação biológica e significativa. Esse fenômeno pode ser visto claramente no documentário *Polar bear alert*, produzido pela National Geographic em 1982.[8] Depois de uma caçada estressante, um urso polar recebe um tiro de dardo tranquilizante. Ao acordar lentamente da anestesia, o animal passa por um longo período de chacoalhar e tremer antes de voltar ao normal.

Por encarar o trauma como uma doença, com muita frequência, a medicina busca suprimir seu processo natural e criativo, como ocorreu com o paciente de enxaqueca do dr. Sacks. Quer a resposta restauradora tenha sido suprimida por drogas, mantida congelada pelo medo ou controlada por pura força de vontade, a capacidade inata de autorregulação fica prejudicada.

Ao contrário da crença popular, o trauma pode ser curado. E não só isso: em muitos casos, pode ser curado sem longas horas de terapia, sem o doloroso reviver de memórias e sem uma dependência contínua de medicação. Ressalte-se que não é necessário nem possível

8. O documentário pode ser visto aqui: https://www.youtube.com/watch?v=x9e-6wPaXp0E. A cena comentada pelo autor está no minuto 35 do vídeo. Acesso em: 14 set. 2022. [N. E.]

mudar os acontecimentos passados. Os sintomas de traumas antigos são exemplos de energia presa e de lições perdidas. O passado não importa quando aprendemos a estar presentes; cada momento se torna novo e criativo. Só temos de curar nossos sintomas e continuar adiante. Um momento de cura ondula para a frente e para trás, para lá e para cá.

É mais fácil prevenir o trauma que curá-lo. Com a informação e as ferramentas descritas neste livro, é possível prevenir os efeitos de experiências potencialmente traumáticas e aumentar a resistência do indivíduo a situações ameaçadoras. Em muitos casos, as ferramentas e as ideias apresentadas aqui lhe ajudarão a transformar os sintomas de traumas antigos em experiências de afirmação da vida. Essas técnicas podem ser usadas com crianças, cônjuges ou amigos que estejam correndo risco de trauma, a fim de criar uma rede de apoio positivo. Devemos também sublinhar que algumas pessoas foram traumatizadas em tal grau que podem necessitar de ajuda profissional, incluindo medicação adequada. Não existe vergonha nem inépcia em buscar esse apoio. Talvez você queira compartilhar este material com seu terapeuta ou médico, de modo que ele possa trabalhar melhor com você.

4. UMA TERRA NOVA E ESTRANHA

O TRAUMA NÃO É UMA PRISÃO PERPÉTUA

Estes são alguns dos sintomas assustadores que as pessoas traumatizadas apresentam: *flashbacks*, ansiedade, ataques de pânico, insônia, depressão, queixas psicossomáticas, dificuldade de se abrir, ataques de raiva violenta e não provocada e comportamentos destrutivos repetitivos. Pessoas que já foram saudáveis podem ser levadas ao "limite da insanidade" em decorrência de acontecimentos que ocorreram num período relativamente curto. Se você abordar o assunto do trauma, a maioria das pessoas pensará em veteranos de guerra, ou naqueles que sofreram graves abusos na infância.

O trauma se tornou tão comum que a maioria das pessoas nem mesmo reconhece sua presença. O trauma afeta a todos. Cada um de nós teve uma experiência traumática em algum momento da vida, não importando se ela nos deixou ou não com um caso óbvio de estresse pós-traumático. Alguns foram traumatizados, mas ainda não apresentaram sintomas, pois os sintomas do trauma podem permanecer ocultos anos depois de um acontecimento desencadeador.

Tanto as causas quanto os sintomas do trauma são incrivelmente amplos e diversos. Hoje, entende-se que o trauma é uma ocorrência comum que pode ser causada por acontecimentos aparentemente benignos. A boa notícia é que não temos de viver com isso — pelo menos, não para sempre. O trauma pode ser curado e, ainda mais facilmente, evitado. É possível resolver seus sintomas mais nefastos se estivermos dispostos a deixar que nossos instintos naturais biológicos nos guiem. Para fazê-lo, precisamos aprender um modo totalmente novo de compreender e experienciar a nós mesmos. Para a maioria de nós, isso equivalerá a viver numa terra nova e estranha.

UMA TERRA NOVA E ESTRANHA

Vou conduzir o leitor às regiões escuras e primitivas do mundo que uma vez foram habitadas apenas por répteis. Esse mundo primitivo está muito vivo em nós. Ele ainda é o lar de algumas de nossas capacidades mais valiosas. A maioria de nós é ensinada a ignorar esses recursos inatos e a depender das "vantagens" oferecidas pela tecnologia. Escolhemos aceitar essa solução sem perceber que estamos desistindo de partes importantes de nós mesmos. Talvez nem percebamos que fizemos essa escolha.

Quando os humanos vagavam por morros e vales, juntavam raízes e frutos, caçavam animais e viviam em cavernas, nossa existência estava muito ligada ao mundo selvagem. Estávamos preparados para defender a nós mesmos, nossa família e nossos aliados de predadores e outros perigos a cada dia, cada minuto e cada segundo — frequentemente arriscando nossa própria vida. A ironia é que os acontecimentos que ameaçavam rotineiramente a vida das pessoas pré-históricas moldaram nosso sistema nervoso moderno para reagir com determinação e completude sempre que percebemos que nossa sobrevivência está ameaçada. Até hoje, quando exercemos essa capacidade natural, sentimo-nos animados, vivos, poderosos, expandidos, cheios de energia e prontos para encarar qualquer desafio. Ser ameaçado convoca nossos recursos mais profundos e nos permite experienciar o nosso potencial mais pleno como seres humanos. Assim, nosso bem-estar emocional e físico se amplia.

A vida moderna nos dá poucas oportunidades óbvias para usar essa capacidade. Hoje, nossa sobrevivência depende cada vez mais da capacidade de pensar e menos de reagir fisicamente. Em consequência, a maioria de nós se distanciou de nosso ser instintivo e natural — especificamente, daquela parte que podemos chamar orgulhosamente de animal. Não importa como nos vemos; no sentido mais básico, somos, literalmente, animais humanos. Os desafios fundamentais que encaramos hoje apareceram de modo relativamente rápido, mas nosso sistema nervoso mudou de maneira muito mais lenta. Não é coincidência que as pessoas que estão mais em contato com seu ser animal tendem a se sair melhor no que se refere ao trauma. Por não terem fácil acesso aos recursos desse eu instintivo e primitivo, os humanos separam corpo e alma. A maioria de nós não pensa ou experiencia a si mesmo como animais. Entretanto, como não vivemos nossos instintos e reações naturais, também não somos plenamente humanos. Existir num limbo em que não somos nem animais nem totalmente humanos pode causar numerosos problemas, um dos quais é ser suscetível ao trauma.

Nosso sistema nervoso e nossa psique precisam encarar desafios, e ser bem-sucedidos diante deles, para que permaneçam saudáveis. Quando essa necessidade não é satisfeita, ou quando somos desafiados e não triunfamos, acabamos ficando sem vitalidade e somos incapazes de nos engajar de modo pleno na vida. Aqueles que foram derrotados pela guerra, pelo abuso, por acidentes e outros acontecimentos traumáticos sofrem consequências muito mais graves.

TRAUMA!

Poucas pessoas questionam a gravidade dos problemas criados pelo trauma, embora tenhamos dificuldade de compreender como tantos indivíduos são afetados por ele. Num estudo recente com mais de mil homens e mulheres, descobriu-se que 40% deles tinham passado por um acontecimento traumático nos últimos três anos. Os mais citados foram: ser estuprada ou atacada fisicamente; envolver-se num acidente grave e testemunhar alguém sendo morto ou ferido. Acredita-se que 30% dos sem-teto nos Estados Unidos são veteranos da Guerra do Vietnã que sofrem de estresse pós-traumático. De 75 a 100 milhões de americanos sofreram abuso físico e sexual na infância. A conservadora American Medical Association (AMA) estima que mais de 30% das mulheres casadas e 30% das grávidas já foram espancadas pelo marido. Uma mulher é espancada pelo marido ou namorado a cada nove segundos (o espancamento de gestantes é traumático também para o feto).

A guerra e a violência afetaram a vida de quase todas as pessoas que vivem neste planeta. Nos últimos anos, comunidades inteiras foram varridas ou devastadas por desastres naturais — os furacões Hugo, Andrew e Iniki; inundações no Meio-Oeste americano e na Califórnia; o incêndio em Oakland; os terremotos em Loma Prieta, Los Angeles, Cidade do México, Cairo e Kobe etc. Todos aqueles que foram afetados por esses acontecimentos correm o risco de sofrer ou já estão sofrendo com o trauma.

Muitas pessoas têm sintomas traumáticos que não são reconhecidos. Por exemplo, de 10% a 15% dos adultos sofrem de ataques de pânico, ansiedade inexplicável ou fobias. Setenta e cinco por cento das pessoas que vão ao médico apresentam queixas que são chamadas de psicossomáticas porque não se consegue encontrar nenhuma explicação física para elas. Meu trabalho leva-me a acreditar que muitos desses indivíduos têm histórias traumáticas que contribuíram para o surgimento de sintomas. Com frequência, a depressão e a ansiedade têm antecedentes traumáticos, e o mesmo acontece com as doenças mentais. Um estudo realizado por Bessel van der Kolk[9], um respeitado pesquisador no campo do trauma, mostrou que boa parte dos pacientes de uma grande instituição de saúde mental apresentavam sintomas indicativos de trauma. Muitos desses sintomas haviam sido negligenciados até aquele momento porque ninguém tinha reconhecido sua importância.

Hoje, a maioria das pessoas está consciente de que os abusos sexuais, físicos e emocionais e a exposição à violência e ao perigo podem alterar profundamente a vida do indivíduo. Mas o que a maioria não sabe é que muitas situações aparentemente benignas podem ser traumáticas. As consequências do trauma podem estar espalhadas e ocultas. No decorrer da minha carreira, encontrei uma

9. Van der Kolk, Bessel. *Psychological trauma*. Washington: American Psychiatric Press, 1987.

extraordinária amplitude de sintomas — problemas comportamentais e psicossomáticos, falta de vitalidade etc. — relacionados não apenas aos incidentes traumáticos mencionados anteriormente, mas também a acontecimentos bastante comuns.

Acontecimentos comuns podem produzir efeitos traumáticos que são tão debilitantes quanto aqueles experienciados por veteranos de guerra ou por sobreviventes de abuso na infância. Os efeitos traumáticos nem sempre aparecem imediatamente depois dos incidentes que os causaram. Os sintomas podem permanecer latentes, acumulando-se por anos ou até mesmo por décadas. Então, durante um período estressante, ou em consequência de outro incidente, aparecem sem nenhum aviso. Por vezes não há nenhuma indicação da causa original. Portanto, um acontecimento aparentemente de pouca importância pode provocar um colapso súbito, semelhante ao provocado por um acontecimento catastrófico isolado.

O QUE NÃO SABEMOS PODE NOS FERIR

Quando se trata de trauma, o que não sabemos pode nos ferir. Não saber que somos traumatizados não evita que tenhamos os problemas causados pelo trauma. Contudo, a negação é compreensível se considerarmos a incrível confusão de informações errôneas e mitos que existe com relação ao trauma e o respectivo tratamento.

Já é bastante difícil lidar com os sintomas do trauma sem a ansiedade extra de não saber por que estamos sentindo isso ou se os sintomas desaparecerão algum dia. A ansiedade pode surgir por várias razões, inclusive por uma profunda dor que é sentida quando marido, amigos e parentes se unem na convicção de que já está na hora de você seguir a vida. Eles querem que você aja normalmente porque acreditam que você já deveria ter aprendido a viver com seus sintomas. Sentimentos de desamparo, futilidade e desespero aparecem quando se é erroneamente informado de que o único modo de aliviar os sintomas é fazer uso de medicação ou fazer terapia pelo resto da vida. O simples pensamento de falar com alguém sobre seus sintomas gera estranheza e medo, uma vez que eles são tão esquisitos que você tem certeza de que mais ninguém poderia experienciar a mesma coisa. Você também suspeita de que ninguém acreditaria em você, e que provavelmente você está enlouquecendo. Há o estresse adicional associado com despesas médicas cada vez maiores, enquanto você realiza pela terceira ou quarta vez os mesmos exames, procedimentos, encaminhamentos e, finalmente, passa por uma cirurgia exploratória a fim de tentar descobrir a causa da dor misteriosa. Você convive com a impressão de que os médicos acreditam que você é um hipocondríaco porque não conseguem encontrar nenhuma causa para a sua condição.

Tirar conclusões erradas e apressadas quando se está interpretando os sintomas do trauma também é devastador. Há consequências prejudiciais quando diagnósticos incorretos levam as pessoas a acreditar que foram abusadas sexual, física ou mesmo ritualmente quando crianças, e, na verdade, não o foram. Não estou de modo algum sugerindo que não existe abuso infantil. Muitas crianças em todos os segmentos da sociedade sofrem abusos inquestionáveis a cada dia. Muitas delas não se lembram dos abusos até se tornarem adultas. Contudo, como explicarei nos próximos capítulos, a dinâmica do trauma pode produzir "memórias" assustadoras e bizarras de acontecimentos passados que parecem extremamente reais, mas nunca aconteceram.

É impressionante a quantidade de desinformação a respeito do trauma, do respectivo tratamento e do prognóstico de recuperação de uma pessoa traumatizada. Até mesmo profissionais especializados em trauma não o compreendem. Inevitavelmente, a desinformação leva à ansiedade e a mais sofrimento.

A REALIDADE DA PESSOA TRAUMATIZADA

Todos já tivemos a experiência de deixar de fora alguma coisa ao narrar um acontecimento. Dizemos: "Você precisava estar lá". O trauma é uma experiência assim. As palavras não transmitem de modo preciso a angústia que uma pessoa traumatizada experiencia. Tal angústia é tão intensa que desafia a descrição. Muitas pessoas traumatizadas sentem que vivem num inferno pessoal que nenhum outro ser humano poderia compartilhar. Embora isso não seja totalmente verdadeiro, alguns elementos dessa percepção são. Aqui está um resumo das coisas contra as quais várias pessoas gravemente traumatizadas lutam: *tenho medo de absolutamente tudo. Tenho medo de sair da cama de manhã. Tenho medo de sair de casa. Tenho muito medo da morte... não de morrer algum dia, mas de morrer nos próximos minutos. Tenho medo da raiva... da minha e da dos outros, mesmo quando esse sentimento não está presente. Tenho medo da rejeição e/ou do abandono. Tenho medo do sucesso e do fracasso. Sinto dor no peito e formigamento e entorpecimento nos braços e pernas todos os dias. Quase diariamente sinto cólicas que vão do tipo de cólica menstrual a uma dor intensa. O fato é que eu sinto dor a maior parte do tempo. Acho que não consigo continuar. Tenho dores de cabeça. Sinto-me nervosa o tempo todo. Minha respiração é curta, meu coração dispara, sinto desorientação e pânico. Estou sempre com frio e com a boca seca. Tenho dificuldade de engolir. Não tenho energia nem motivação e, quando realizo alguma coisa, não sinto nenhuma satisfação. Sinto-me sobrecarregado, confuso, perdido, desamparado e sem esperança todos os dias. Tenho explosões incontroláveis de raiva e de depressão.*

SIGA ADIANTE COM SUA VIDA

Se doer, esconda.

— Michael Martin Murphey, "Cowboy logic"

Como os sintomas e as emoções associados ao trauma costumam ser extremos, a maioria de nós (e dos que nos cercam) vai se retrair e tentar reprimir essas reações intensas. Infelizmente, essa negação mútua pode impedir a cura. Em nossa cultura, há uma falta de tolerância à vulnerabilidade emocional que as pessoas traumatizadas experienciam. Dá-se pouco tempo para passar pelos acontecimentos emocionais. Somos rotineiramente pressionados a nos ajustar depressa demais depois de uma situação avassaladora.

A negação é tão comum em nossa cultura que se tornou um clichê. Com que frequência você já ouviu estas palavras? "Não foi nada, já passou. Você deve esquecer o que aconteceu. Sofra sem reclamar. É hora de seguir adiante com a vida".

QUEM É TRAUMATIZADO?

Nossa capacidade de reagir bem ao perigo e à ameaça é determinada por vários fatores:

O próprio acontecimento. Até que ponto ele é ameaçador? Quanto tempo dura? Com que frequência ocorre? Acontecimentos ameaçadores que são intensos e contínuos representam os maiores desafios. Incidentes muito ameaçadores que ocorrem de modo repetido (mas com algum intervalo) podem ser igualmente desafiadores. A guerra e o abuso na infância são dois dos exemplos mais comuns de acontecimentos traumatizantes que, com frequência, suplantam os recursos de sobrevivência de um indivíduo.

O contexto de vida da pessoa no momento do acontecimento traumatizante. O apoio (ou a falta dele) da família e dos amigos pode ter um impacto dramático sobre nós. Também é significativo o preço cobrado por uma saúde fraca, pelo estresse contínuo, pela fadiga e pela má alimentação.

As características físicas do indivíduo. Algumas pessoas são constitucionalmente mais resistentes a acontecimentos estressantes do que outras. Força, rapidez e forma física podem também ser importantes em algumas situações. A idade da pessoa e o nível de desenvolvimento fisiológico e de resistência são ainda mais relevantes. Ser deixado sozinho numa sala fria pode ser totalmente avassalador para um bebê, assustador para uma criança pequena, perturbador para uma criança de 10 anos e um pouco desconfortável para um adolescente ou adulto.

As capacidades aprendidas pela pessoa. Bebês e crianças, ou qualquer pessoa que não tenha experiência ou habilidades para lidar com uma situação ameaçadora, são mais vulneráveis à traumatização. No exemplo citado, um adolescente ou adulto não só toleram mais facilmente o frio e o isolamento; eles também podem reclamar, procurar um termostato, tentar sair da sala, vestir um casaco ou esfregar os braços. Em proporções diferentes, essas opções não estão disponíveis para uma criança pequena ou para um bebê. Por isso, as reações traumáticas, em geral, provêm da primeira infância. É importante lembrar que uma reação traumática é válida, independentemente de como o fato que a induziu é considerado pelas outras pessoas.

O modo como os indivíduos experienciam a capacidade de encarar o perigo. Algumas pessoas sentem que são completamente capazes de se defender do perigo, enquanto outras não sentem isso. Essa sensação interna de autoconfiança é importante e não é totalmente determinada pelos recursos que temos disponíveis para lidar com situações ameaçadoras. Esses recursos podem ser tanto internos quanto externos.

Recursos externos. Aquilo que o ambiente oferece como modo de obter segurança potencial (isto é, uma árvore alta e forte, algumas pedras, uma abertura estreita, um bom esconderijo, uma arma, a ajuda de um amigo) contribui para nosso senso interior de desenvoltura, se tivermos um nível de desenvolvimento que nos permita utilizá-lo. Para uma criança, um recurso externo pode ser um adulto que a trate com respeito em vez de violência, ou um lugar seguro onde o abuso não ocorra. Um recurso externo (em especial para as crianças) pode vir sob muitas formas — um animal, uma árvore, um bicho de pelúcia ou até mesmo um anjo.

Recursos internos. Internamente, o senso do eu vivenciado pela pessoa é afetado por um conjunto complexo de recursos. Estes incluem atitudes psicológicas e experiências, mas as respostas instintivas consideradas planos de ação inatos, que estão profundamente enraizadas no organismo, são até mesmo mais importantes. Todos os animais, inclusive os humanos, usam essas soluções instintivas para aumentar as chances de sobrevivência. Elas são como programas predefinidos que governam todas as nossas respostas biológicas básicas (isto é, alimentação, descanso, reprodução e defesa). Numa pessoa saudável, esses planos inatos de ação defensiva são trazidos para o primeiro plano pelo sistema nervoso sempre que uma ameaça for percebida. Por exemplo: seu braço se levanta repentinamente para protegê-lo de uma bola que (conscientemente) nem foi percebida e que vem em sua direção, ou você se desvia um segundo antes de bater num galho baixo de uma árvore. Os planos de ação inatos também estão envolvidos nas reações de luta e fuga.

Uma mulher contou-me a seguinte história, que constitui um exemplo mais complexo: ela estava voltando para casa no escuro quando viu dois homens vindo em sua direção, do outro lado da rua. Algo na aparência deles não parecia estar certo, e a mulher ficou imediatamente em alerta. Quando os dois homens chegaram mais perto, eles se separaram, um cruzou a rua na direção da mulher e o outro andou em círculos atrás dela. O que antes era suspeita, foi confirmado — ela estava em perigo. Seu coração começava a acelerar, ela sentia-se subitamente mais alerta e sua mente buscava freneticamente uma resposta. Ela deveria gritar? Correr? Para onde deveria correr? O que deveria gritar? As possibilidades passavam de forma vertiginosa por sua mente. Ela tinha opções demais para escolher e pouco tempo para considerá-las. Dramaticamente, o instinto assume. Sem decidir conscientemente o que fazer, ela de repente se viu andando com passos rápidos e firmes na direção do homem que estava atravessando a rua. Visivelmente surpreendido pela audácia dela, o homem mudou de direção. O outro que estava atrás dela desapareceu nas sombras quando seu comparsa perdera sua posição estratégica. Eles ficaram confusos. Ela estava segura.

Graças à habilidade de confiar em seu fluxo instintivo, essa mulher não foi traumatizada. Apesar da confusão inicial em relação ao que fazer, ela seguiu um dos planos de ação defensiva espontâneos e conseguiu evitar o ataque.

Em seu delicioso livro *The hidden life of dogs*[10] [A vida secreta dos cachorros], Elizabeth Thomas descreveu um comportamento semelhante em Misha, um husky siberiano de 2 anos de idade. Em um de seus passeios noturnos, Misha encontrou um São Bernardo grande e feroz e ficou preso entre ele e a estrada: "[...] por alguns segundos as coisas pareceriam ruins para Misha, mas então ele resolveu o problema de forma brilhante. Com a cabeça levantada e a cauda em pé como uma bandeira de autoconfiança, andou rapidamente na direção do São Bernardo". Tanto no caso da mulher na rua escura quanto no caso de Misha, a resolução dos problemas emergiu dos planos de ação instintivos.

História de sucesso ou de fracasso. O fato de sermos ou não capazes de usar esses planos de ação instintivos é muito influenciado por nossos sucessos ou fracassos em situações semelhantes.

CAUSAS DO TRAUMA

Tenho me surpreendido com a grande amplitude de acontecimentos e reações traumáticas que venho observando no decorrer de minha carreira. Alguns acontecimentos, como cirurgias na infância, são importantes, mas aparentemente benignos na lembrança da pessoa. Um cliente descreve a seguinte experiência infantil, que ocorreu quando ele tinha 4 anos de idade:

Eu lutava com gigantes mascarados que estavam me prendendo a uma mesa branca e alta. Eu via a silhueta de alguém que vinha em minha direção com uma máscara preta, e a luz fria e dura cegava os meus olhos. A máscara tinha um cheiro muito ruim que me fez sufocar, e eu continuei lutando enquanto ela era colocada à força sobre meu rosto. Tentando desesperadamente gritar e escapar, escorreguei para um túnel negro vertiginoso cheio de alucinações horríveis. Acordei numa sala cinza-esverdeada, devastada. Parecia que eu estava perfeitamente bem, apenas minha garganta doía muito. Mas eu não estava bem.

10. Thomas, Elizabeth. *The hidden life of dogs*. Boston: Mariner Books, 2010.

Eu me sentia total e completamente abandonado e traído. Tudo que me haviam dito era que eu poderia tomar meu sorvete favorito e que meus pais estariam comigo. Depois da cirurgia, perdi a sensação de um mundo seguro e compreensível ao qual eu podia responder. Fui consumido por uma sensação irremediável de vergonha e por um sentimento de ser "mau" [o cérebro racional assume que ele deve ser mau para merecer esse tipo de punição]. *Durante anos após essa experiência aniquiladora, temia a hora de dormir e, às vezes, acordava no meio da noite. Eu ficava sozinho, lutando para respirar, apavorado e envergonhado demais para chorar, no terror de sufocar até a morte.*

Aos 6 ou 7 anos, o estresse da família e a pressão da escola intensificaram meus sintomas. Fui encaminhado a uma psiquiatra infantil. A preocupação principal dela era um cachorro de pelúcia felpudo, branco e sujo do qual eu necessitava para conseguir dormir. O motivo de minha ansiedade e timidez excessiva não foi descoberto. A abordagem da médica era me assustar ainda mais, contando-me os problemas que seriam causados por precisar de um amigo de pelúcia quando eu fosse adulto. Preciso dizer que a terapia "funcionou" com relação a isso (eu joguei o cachorro fora). Porém, meus sintomas continuaram e desenvolvi ataques de ansiedade crônica, dores de estômago frequentes e outros problemas "psicossomáticos" que duraram do ensino fundamental à universidade.

Muitos acontecimentos podem mais tarde causar reações traumáticas, dependendo de como a pessoa os experienciou no momento em que aconteceram. Alguns exemplos de antecedentes traumáticos comuns são:

- trauma fetal (intrauterino);
- trauma no nascimento;
- perda de um dos pais ou de um parente próximo;
- doenças, febres altas, envenenamento acidental;
- ferimentos físicos, inclusive quedas e acidentes;
- abuso sexual, físico e emocional, inclusive abandono grave ou espancamentos;

- testemunho de violência;
- desastres naturais, como terremotos, incêndios e inundações;
- determinados procedimentos médicos e odontológicos;
- cirurgia, sobretudo retirada de amígdalas com uso de éter; operações para problemas auditivos e para estrabismo;
- anestesia;
- imobilização prolongada; entalar e engessar as pernas e o tronco de crianças pequenas, por diversas razões (pés voltados para dentro, escoliose).

O fato de hospitalizações e procedimentos médicos produzirem resultados traumáticos é surpreendente para muitas pessoas. Os efeitos posteriores traumáticos da imobilização prolongada, de hospitalizações e especialmente de cirurgias com frequência são duradouros e graves. Mesmo que a pessoa reconheça que a operação era necessária e que ela estivesse inconsciente enquanto o cirurgião cortava a carne, os músculos e os ossos, isso ainda é registrado no corpo como um acontecimento que ameaça a vida. No "nível celular", o corpo percebe que sofreu um ferimento grave capaz de colocá-lo em perigo mortal. Intelectualmente, podemos acreditar numa operação, mas, num nível mais primário, nosso corpo não acredita. A percepção do sistema nervoso instintivo tem muito mais peso no que diz respeito ao trauma — muito mais. Esse fato biológico é a primeira razão pela qual a cirurgia costuma gerar reações pós-traumáticas.

Um pai descreve a "pequena" cirurgia de joelho de seu filho Robbie, em uma história "comum" intitulada "Everything is not okay" [Não está tudo bem], publicada na edição de julho de 1993 do *Reader's Digest*:

O médico me diz que está tudo bem. O joelho está bom, mas não está tudo bem com o menino que acorda de um pesadelo induzido pelas drogas, se debatendo na cama do hospital — um menino doce que nunca feriu ninguém, olhando através da névoa anestésica com os olhos de um animal selvagem, atingindo a enfermeira, gritando "Eu estou vivo?" e me obrigando a agarrar seus braços [...] olhando diretamente em meus olhos sem saber quem eu sou.

O menino é levado para casa, mas seu medo continua. Ele acorda agitado, "apenas para tentar vomitar" e eu [o pai] *fico loucamente tentando ser útil, então faço aquilo que se faz nos subúrbios dos Estados Unidos — comprar um brinquedo para seu filho a fim de que você se sinta melhor".*

Milhões de pais se sentem impotentes, incapazes de entender as mudanças drásticas (ou sutis) no comportamento dos filhos depois de uma grande variedade de acontecimentos traumáticos. Na Parte IV, veremos como evitar que essas reações ocorram, tanto em adultos quanto em crianças.

5. CURA E COMUNIDADE

[...] toda a vida está inter-relacionada. Todos os homens estão presos a uma rede de mutualidade inescapável, atados a um único traje do destino. Qualquer coisa que afete diretamente alguém afeta indiretamente a todos. Nunca serei aquilo que deveria ser até que você seja o que deveria ser, e você nunca pode ser aquilo que deveria ser até que eu seja aquilo que deveria ser. Essa é a estrutura inter-relacionada da realidade.

— Martin Luther King Jr.

ABORDAGENS XAMÂNICAS DE CURA

Durante toda a história oral e escrita, o xamã, ou curador tribal, tem sido responsável por restituir o equilíbrio e a saúde aos indivíduos e às comunidades nas quais esses foram perturbados. As culturas xamânicas reconheceram os impactos debilitantes do trauma há muito tempo, ao contrário da medicina ocidental, que ainda não reconhece essas feridas. Tais culturas veem a doença e o trauma como um problema para toda a comunidade, não apenas para o indivíduo ou indivíduos que manifestam os sintomas. Consequentemente, as pessoas nessas sociedades buscam a cura tanto para o bem de todos como para o seu próprio. Essa abordagem tem aplicações especiais na transformação do trauma em nossa sociedade atual. Essa afirmação não pretende sugerir que todos nós busquemos ajuda xamânica na cura do trauma, mas que possamos conseguir *insights* valiosos ao estudar como os xamãs abordam as reações traumáticas.

Os métodos usados ao longo dos tempos pelos curandeiros e curandeiras são diversificados e complexos. Contudo, esses diversos rituais e crenças compartilham uma mesma compreensão do trauma.

Quando estamos sobrecarregados, nossa "alma" pode se separar do nosso corpo. De acordo com Mircea Eliade[11] (importante estudioso da prática xamânica), a "violação da alma" é de longe a maior e pior causa de doença citada pelos curadores xamânicos. Sem partes importantes da alma, as pessoas ficam perdidas em estados de suspensão espiritual. Do ponto de vista xamânico, a doença é consequência de estar encalhado num "limbo espiritual".

Desde o início da civilização, os curadores xamânicos de muitas culturas têm sido capazes de criar as condições que incentivam a "alma perdida" a retornar para seu lugar correto no corpo. Esses curadores chamados de "primitivos" catalisam as poderosas forças curadoras inatas de seus pacientes por meio de rituais coloridos. Uma atmosfera de apoio da comunidade, ampliada por tambores, cantos, danças e transe cria o ambiente em que essa cura acontece. Em geral, esses procedimentos continuam durante dias e podem envolver o uso de substâncias vegetais e de outros catalisadores farmacológicos. É importante notar que, embora as cerimônias variem, o beneficiário da cura quase sempre chacoalha e treme no momento em que o evento se aproxima do fim. Esse é o mesmo fenômeno que ocorre em todos os animais quando eles liberam a energia represada. Ele aconteceu com Nancy naquele dia há mais de 25 anos, em meu consultório na cidade.

Embora estejamos a culturas de distância desses povos originários, os modernos sobreviventes de trauma costumam usar uma linguagem similar para descrever suas experiências. "Meu pai roubou a minha alma quando fez sexo comigo" é uma descrição típica da perda devastadora experienciada pelo indivíduo que foi sexualmente abusa-

11. Eliade, Mircea. *Shamanism*. 2. ed. Princeton: Princeton University Press, 1974. [Em português: *O xamanismo e as técnicas arcaicas do êxtase*. São Paulo: Martins Fontes, 2000.]

do quando criança. Quando as pessoas compartilham o modo como se sentem depois de procedimentos médicos e de operações, também transmitem esse senso de perda e de desconexão. Ouvi muitas mulheres dizerem: "O exame pélvico parece uma violação de meu corpo e de meu espírito". Os indivíduos com frequência se sentem desencaixados de seu corpo durante meses ou anos depois de uma cirurgia que tenha usado anestesia geral. Os mesmos resultados podem aparecer depois de acidentes aparentemente pequenos, quedas e até mesmo traições e abandono profundos. Embora não tenhamos uma linguagem para isso, muitos de nós sentem um ferimento traumático no nível da alma. Rod Steiger, numa entrevista emocionante com Oprah Winfrey, descreve sua depressão que durou décadas e começou depois de ele ter passado por uma cirurgia: "Comecei a entrar lentamente numa névoa gordurosa, amarela e espessa que permeou meu corpo [...] até meu coração, meu espírito e minha alma [...] Ela me tomou, roubando-me a vida".

Na medicina xamânica, os tratamentos tentam capturar a alma ou "obrigá-la a reassumir seu lugar no corpo do paciente, pois a doença é atribuída ao fato de a alma ter sido roubada, desviada ou, de algum modo, deslocada". De acordo com Eliade, apenas o xamã "vê" os espíritos e sabe exorcizá-los. "Apenas ele reconhece que a alma fugiu e apenas ele é capaz de surpreendê-la durante o êxtase e devolvê-la a seu corpo." Em quase todas as "recuperações de alma" descritas por Eliade, os xamãs curam seus pacientes intercedendo no domínio dos espíritos. Ele descreve um xamã toleut chamando de volta a alma de uma criança doente: "Volte para o seu país; para o seu povo... para o Yurt, pelo fogo brilhante!... Volte para seu pai... para sua mãe ..."[12]

Um parâmetro crucial na cura do trauma é refletido nesse poema simples. O apoio acolhedor de amigos, parentes e membros da tribo é necessário para persuadir o espírito a voltar ao corpo traumatizado. Esse acontecimento é quase sempre ritualizado e experienciado como uma celebração do grupo. O xamanismo reco-

12. *Ibidem.*

nhece que a profunda interconexão, o apoio e a coesão social são requisitos necessários na cura do trauma. Cada um de nós precisa assumir a responsabilidade pela cura de nossos ferimentos traumáticos. Precisamos fazer isso por nós mesmos, por nossa família e pela sociedade como um todo. Reconhecendo nossa necessidade de conexão uns com os outros, precisamos obter o apoio da comunidade nesse processo de recuperação.

Os médicos e os profissionais de saúde mental não falam sobre recuperar almas, mas são confrontados por uma tarefa similar — devolver a totalidade a um organismo que foi fragmentado pelo trauma.

Os conceitos e os procedimentos xamânicos tratam o trauma, unindo a alma perdida e o corpo na presença da comunidade. Essa abordagem é estranha para a mente tecnológica. Contudo, parece ter sucesso quando as técnicas ocidentais convencionais falham. Minha conclusão é a de que aspectos importantes da prática xamânica são válidos. Quando tratamos do trauma, temos muito a aprender com as maneiras com que esses povos tradicionais praticam a medicina. Depois do terremoto em Los Angeles, em 1994, aquelas famílias (com frequência provenientes de países em desenvolvimento) que acampavam, comiam e jogavam juntas se saíram melhor do que muitas famílias de classe média. Aqueles que permaneceram isolados — assistindo obsessivamente aos *replays* do desastre, ouvindo as entrevistas com geólogos que afirmavam que "o maior ainda estava por vir" — ficaram muito mais suscetíveis aos efeitos traumáticos do que aqueles que apoiaram uns aos outros na comunidade.

Vários colegas meus de Los Angeles relataram que carpas ornamentais formaram grupos compactos em lagos nos jardins algumas horas antes do terremoto. Elas permaneceram dessa maneira por várias horas depois do incidente. Nancy Harvey, especialista em etologia do San Diego Wildlife Park, contou-me uma história semelhante. Eu perguntei a ela se os animais tinham apresentado sintomas similares aos de trauma depois de um grande incêndio no sul da Califórnia ter chegado até o limite do hábitat dos antílopes. Ela disse que não, e descreveu um comportamento curioso em que os impalas e as outras populações de antílopes formaram grupos distantes das cercas e permaneceram juntos até que o incêndio fosse extinto.

SOMATIC EXPERIENCING®

Embora eu reconheça a abordagem xamânica como válida e seja grato por aquilo que aprendi enquanto estudava e ensinava com xamãs de várias culturas diferentes, a abordagem de Somatic Experiencing® apresentada neste livro não é xamânica. Uma diferença importante, creio eu, é que cada um de nós tem uma capacidade maior de curar a si mesmo do que a abordagem xamânica sugere. Podemos fazer muito para recuperar nossa alma. Com o apoio de amigos e parentes, obtemos uma ferramenta poderosa para nossa jornada de cura.

Esta seção inclui exercícios planejados para ajudá-lo a curar o trauma em si mesmo e nos outros. Obviamente, é importante ter um profissional treinado guiando o processo, sobretudo se o trauma ocorreu na infância ou se houve abuso ou traição. Contudo, esses exercícios também podem ser muito poderosos se você praticá-los sozinho, em pares ou num grupo, sem a assistência de um profissional. Tenha em mente que a negação costuma ser uma força poderosa. *Uma palavra de alerta: realizar esses exercícios pode ativar sintomas traumáticos. Se você se sentir sobrecarregado ou sistematicamente bloqueado, por favor, procure auxílio profissional.*

Na abordagem xamânica, o curandor chama o espírito de volta ao corpo. Na Somatic Experiencing®, você inicia a sua própria cura ao reintegrar partes perdidas ou fragmentadas de seu eu essencial. Para realizar essa tarefa, você precisa de um intenso desejo de voltar a ser inteiro. Esse desejo servirá como uma âncora, por meio da qual a sua alma poderá se reconectar ao seu corpo. A cura acontecerá à medida que os elementos de sua experiência que estavam congelados (na forma de sintomas) forem liberados de suas funções relativas ao trauma, permitindo que você descongele gradualmente. Você se tornará mais fluido e funcional à medida que descongela.

RECONHECENDO A NECESSIDADE DE CURA

As culturas que usam rituais e xamãs para curar o trauma podem parecer primitivas e supersticiosas, mas têm uma grande vantagem — abordam diretamente o problema. Essas culturas reconhecem abertamente a necessidade de cura quando alguém na comunidade foi sobrecarregado pela ameaça. A maioria das culturas, incluindo a nossa, sofre da opinião dominante de que força significa capacidade de aguentar; que é de algum modo heroico ser capaz de continuar em frente independentemente da gravidade de nossos sintomas. A maioria de nós aceita esse costume social sem questioná-lo. Usando o poder do neocórtex, nossa capacidade de racionalizar, é possível dar a impressão de que se atravessou um acontecimento bastante ameaçador, até mesmo uma guerra, sem "nenhum arranhão"; e isso é o que muitos de nós fazemos. Continuamos "cerrando os dentes" e conseguimos a admiração dos demais — heróis, como se nada tivesse acontecido conosco.

Ao nos encorajar a sermos super-humanos, esse costumes sociais cometem uma grande injustiça com o indivíduo e a sociedade. Se tentarmos seguir com a vida sem antes atender aos apelos urgentes que nos guiam de volta a essas experiências angustiantes, nossa exibição de força passará a ser nada mais do que ilusão. Enquanto isso, os efeitos traumáticos ficam cada vez mais graves, firmemente enraizados e crônicos. As respostas incompletas, que agora estão congeladas em nosso sistema nervoso, são como bombas-relógio indestrutíveis, programadas para explodir quando evocadas pela força. Continuaremos a ter explosões inexplicáveis até que os seres humanos encontrem as ferramentas certas e o apoio necessário para desmobilizar essa força. O heroísmo real vem da coragem de reconhecer abertamente as próprias experiências, não de suprimi-las nem negá-las.

VAMOS COMEÇAR — CHAMANDO O ESPÍRITO DE VOLTA AO CORPO

A desconexão entre corpo e alma é um dos efeitos mais importantes do trauma. A perda da sensação da pele é uma manifestação física comum do entorpecimento e da desconexão vivenciados depois do trauma. O exercício a seguir pode ser útil para começar a recuperar a sensação durante o processo de restabelecimento. O custo inicial de 15 a 40 dólares por um chuveiro pulsador[13] vale o investimento.

Exercício

Por aproximadamente dez minutos por dia, tome uma chuveirada suave e pulsante, da seguinte maneira: exponha todo o seu corpo à água, numa temperatura fria ou morna. Ponha toda a sua consciência na região de seu corpo onde a estimulação rítmica estiver focalizada. Deixe que sua consciência se dirija para cada parte de seu corpo conforme você se move. Ponha as costas das mãos sob a água; depois, as palmas e os punhos; então, os dois lados de seu rosto, ombros, antebraços etc. Assegure-se de incluir cada parte de seu corpo: cabeça, testa, pescoço, peito, costas, pernas, pelve, quadris, coxas, tornozelos e pés. Preste atenção à sensação em cada área, mesmo que esteja adormecida, dolorida ou ausente. Enquanto você estiver fazendo isso, diga: esta é minha *cabeça, o* meu *pescoço etc. Eu lhe dou boas-vindas. Outro despertar semelhante é provocado ao dar pancadinhas suaves e rápidas nas diversas partes de seu corpo. Se o exercício for feito com regularidade por algum tempo, ajudará a restabelecer o senso de um corpo com sensação na pele.*

Esse exercício simples começará a acolher a alma de volta ao corpo. Ele é um primeiro passo importante para estabelecer uma ponte na divisão entre corpo, mente e espírito que ocorre na esteira do trauma.

13. Ducha que emite jatos periódicos com pressão mais forte a intervalos regulares. [N. R. T.]

6. O REFLEXO DO TRAUMA

Minha crença é a de que o sangue e a carne sejam mais sábios do que o intelecto. O inconsciente do corpo é o lugar onde a vida borbulha em nós. É como nós sabemos que estamos vivos, vivos nas profundezas da nossa alma e em contato com as vívidas extensões do cosmo.

— D. H. Lawrence

MEDUSA

Neste capítulo, começaremos a explorar uma abordagem geral para lidar com o trauma. No momento que nos permitimos experienciar como animais humanos que sentem, começamos a afrouxar as garras do trauma sobre nós e a transformar suas energias poderosas. Contudo, não o confrontamos diretamente, ou poderíamos ficar paralisados, assustados pela sua constrição. Precisamos deslizar com suavidade para dentro do trauma e depois nos retirar aos poucos, como se ele fosse uma armadilha chinesa (para dedos).

No mito de Medusa, qualquer pessoa que olhasse diretamente nos olhos dela seria imediatamente transformada em pedra. O mesmo acontece no caso do trauma. Se tentarmos confrontá-lo cara a cara, ele continuará a fazer aquilo que já tem feito — nos imobilizar pelo medo. Antes de Perseu partir para conquistar Medusa, foi avisado por Atena para não olhar diretamente para a górgone. Prestando atenção à sabedoria da deusa, ele usou um escudo para refletir a imagem da Medusa; agindo assim, conseguiu cortar a cabeça dela.

Do mesmo modo, a solução para vencer o trauma não vem da confrontação direta, mas do trabalho com o seu reflexo, espelhado em nossas respostas instintivas.

O trauma é tão impressionante que as pessoas que o vivenciam focam compulsivamente nele. Infelizmente, a situação que as derrotou uma vez continuará a derrotá-las repetidamente. As sensações corporais podem servir como um guia para refletir onde estamos experienciando o trauma e para nos levar a nossos recursos instintivos. Esses recursos nos dão o poder de nos proteger dos predadores e de outras forças hostis. Cada um de nós conta com esses recursos instintivos. Uma vez que tenhamos aprendido a acessá-los, podemos criar escudos para refletir e curar nossos traumas.

Nos sonhos, nas histórias míticas e nos contos folclóricos, um símbolo universal para o corpo humano e sua natureza instintiva é o cavalo. É bastante interessante o fato de que, quando Medusa foi decapitada, duas coisas emergiram de seu corpo: Pégaso, o cavalo alado, e Crisaor, o guerreiro com espada dourada. Não poderíamos encontrar uma metáfora melhor. A espada simboliza a verdade absoluta, a arma de defesa definitiva do herói mítico. Ela transmite um senso de clareza e triunfo, de emergir para ir ao encontro de desafios extraordinários e da capacidade definitiva. O cavalo simboliza o alicerce instintivo, enquanto as asas criam uma imagem de movimento, planar e elevar-se acima de uma existência presa à terra. Como o cavalo representa o instinto e o corpo, o cavalo alado fala do transformar-se pela corporificação. Juntos, o cavalo alado e a espada dourada são símbolos auspiciosos para os recursos que as pessoas traumatizadas descobrem no processo de subjugar as próprias Medusas.

Ao iniciarmos o processo de cura, usamos o que é conhecido como "sensopercepção", ou sensações corporais internas. Essas sensações funcionam como um portal pelo qual encontramos os sintomas, ou reflexos do trauma. Ao dirigirmos a atenção para essas sensações corporais internas, em vez de atacar o trauma cara a cara, somos capazes de soltar e liberar as energias que foram mantidas represadas.

A SENSOPERCEPÇÃO[14]

Nossos sentimentos e nosso corpo são como água fluindo para a água.
Nós aprendemos a nadar dentro das energias dos sentidos [do corpo].
— Tarthang Tulku

Assim como Perseu usou um escudo para confrontar Medusa, as pessoas traumatizadas usam um escudo sensorial, ou a "sensopercepção", para dominar o trauma. A sensopercepção tem a clareza, o poder instintivo e a fluência necessários para transformar o trauma.

De acordo com Eugene Gendlin, que cunhou o termo "sensopercepção" em seu livro *Focusing*[15]:

> A sensopercepção não é uma experiência mental, mas física. *Física.* Uma percepção corporal consciente de uma situação ou pessoa ou acontecimento. Uma aura interna que abrange tudo que você sente e sabe a respeito de determinado assunto em determinado momento — abrange isso e o comunica a você, não de detalhe em detalhe, mas de forma imediata.

Trata-se de um conceito difícil de definir com palavras, pois a linguagem é um processo linear e a sensopercepção é uma experiência não linear. Consequentemente, perdem-se dimensões de significado na tentativa de articular essa experiência.

Definimos "organismo" como uma estrutura complexa de elementos interdependentes e subordinados cujas relações e características são determinadas em grande parte por suas funções no todo. Portanto, o todo do organismo é maior do que a soma de suas partes individuais. De modo semelhante, a sensopercepção unifica muitos dados esparsos e lhes dá significado. Por exemplo, quando vemos

14. O autor usa o termo *felt sense* para se referir à atividade da consciência de reconhecer a sensação no momento; a "sensação sentida". A psicologia define tais processos como sensopercepção, termo adotado nesta tradução. [N. R. T.]
15. Gendlin, Eugene. *Focusing*. Nova York: Bantam Books, 1981. [Em português: *Focalização – Uma via de acesso à sabedoria corporal*. São Paulo: Gaia: 2006.]

uma bela imagem na televisão, o que estamos vendo é um grande conjunto de pontos digitalizados chamados de *pixels*. Se focalizarmos os elementos individuais (*pixels*), veremos pontos, não a bela imagem. Do mesmo modo, ao ouvir sua música favorita, você não foca as notas individuais, mas a aura total da experiência. Sua experiência é muito maior do que a soma das notas individuais.

Pode-se dizer que a sensopercepção é o meio pelo qual experienciamos a totalidade da sensação. No processo de cura do trauma, focalizamos as sensações individuais (como os *pixels* da televisão ou as notas melódicas). Quando observadas ao mesmo tempo de perto e de longe, essas sensações são experienciadas simultaneamente como primeiro e segundo planos, criando uma *gestalt*, ou integração da experiência.

Todos os acontecimentos podem ser experienciadas em sua dualidade: como partes individuais e como um todo unificado. Aqueles que são percebidos de forma unificada pela sensopercepção podem trazer revelações a respeito de como desfazer o trauma. A fim de usar os instintos necessários para curar o trauma, precisamos ser capazes de identificar e empregar os indicadores do trauma que estão disponíveis para nós pela sensopercepção.

Exercício

A seguir, há um exercício que começará a lhe dar uma compreensão básica e experiencial da sensopercepção. Qualquer que seja o lugar em que você esteja lendo isto, acomode-se do modo o mais confortável possível.

Sinta o modo como seu corpo faz contato com a superfície onde ele se apoia.

Sinta sua pele e observe a sensação das roupas. Sinta sob a pele — que sensações estão lá?

Agora, lembrando-se suavemente dessas sensações, como você sabe que está confortável? Quais são as sensações físicas que contribuem para sua sensação geral de conforto?

Conscientizar-se dessas sensações faz que você fique mais confortável ou menos confortável? Isso muda com o tempo?

Sente-se por um momento e desfrute da sensopercepção de se sentir confortável.

Bom!

Perceber conscientemente seu corpo e suas sensações faz que qualquer experiência fique mais intensa. É importante reconhecer que a experiência de conforto vem de sua sensopercepção de conforto e não da cadeira, do sofá ou de qualquer outra superfície em que você esteja sentado. Uma visita a qualquer loja de móveis revelará que você não saberá se uma cadeira é confortável até se sentar nela e ter um senso corporal de como ela é.

A sensopercepção integra a maior parte da informação que compõe a sua experiência. Mesmo quando não percebida conscientemente, a sensopercepção lhe diz onde você está e como você se sente naquele momento específico. Ela transmite a experiência geral do organismo, em vez de interpretar o que está acontecendo do ponto de vista das partes individuais. Talvez o melhor modo de descrever a sensopercepção seja dizer que ela é a experiência de existir num corpo vivo que entende as nuances do ambiente por meio das respostas a esse ambiente.

De muitas maneiras, a sensopercepção é como um riacho que se move por uma paisagem em constante mudança. Ela altera o seu caráter em ressonância com o que o rodeia. Se a terra é áspera e íngreme, o riacho se move com vigor e energia, turbilhonando e borbulhando à medida que bate nas pedras. Nas planícies, o riacho serpenteia tão lentamente que se poderia imaginar se ele está mesmo se movendo. As chuvas e o degelo da primavera podem aumentar rapidamente o volume desse riacho e até inundar as terras vizinhas. Do mesmo modo, uma vez que o ambiente tenha sido interpretado e definido pela sensopercepção, nós nos integraremos a quaisquer condições em que nos encontremos. Esse senso surpreendente abrange tanto o conteúdo quanto o clima de nosso ambiente interno e externo. Como o riacho, ele se molda aos ambientes.

Os sentidos físicos (externos) de visão, audição, olfato, tato e paladar são elementos que contribuem apenas com uma parte da informação que constrói o alicerce para a sensopercepção. Outros dados importantes vêm de nossa percepção corporal interna (a posição em que o corpo está, as tensões que ele carrega, os movimentos que ele faz, sua temperatura etc.). A sensopercepção pode ser influenciada — e até mesmo alterada por nossos pensamentos —, mas, mesmo assim, ela não é um pensamento, é algo que sentimos. As emoções contribuem para a sensopercepção, mas têm um papel menos importante do que a maioria das pessoas acredita. Emoções claras como tristeza, raiva, medo, aversão e alegria são intensas e diretas. Existe uma variedade limitada desses tipos de sentimento e eles são facilmente reconhecíveis e nomeáveis. Não é assim com a sensopercepção.

A sensopercepção abrange um conjunto complexo de nuances em constante mudança. Os sentimentos que experienciamos são muito mais sutis, complexos e intrincados do que aquilo que transmitimos pela linguagem. Enquanto estiver lendo as frases a seguir, imagine quanto mais você poderia sentir do que é expresso: olhar para o pico de uma montanha banhado pelo brilho alpino; ver um céu azul de verão pontilhado por nuvens brancas; ir a um jogo de futebol e derrubar molho na camisa; sentir os respingos do oceano quando as ondas batem nas pedras; tocar um botão de rosa que está abrindo ou uma folha de grama molhada por uma gota de orvalho; ouvir um concerto de Brahms; assistir a um grupo de crianças vestidas com roupas de cores brilhantes cantando músicas folclóricas étnicas; andar numa estrada campestre ou desfrutar da companhia de um amigo. Você pode se imaginar passando por um dia sem emoção, mas viver na ausência da sensopercepção não é apenas impensável, é impossível. Viver sem a sensopercepção viola a experiência mais básica de estar vivo.

A sensopercepção às vezes é vaga, mas é sempre complexa e sempre mutável. Ela se move, se altera e se transforma constantemente. Pode variar em intensidade e em clareza, possibilitando-nos mudar nossas percepções. Ela faz isso ao nos dar o processo e também o que é necessário para a mudança. Pela sensopercepção, somos capazes de nos mover, obter novas informações, nos relacionar mutuamente e, em última instância, saber quem somos. Ela é tão integral em nossa experiência de ser humano que em geral não lhe damos valor, às vezes a ponto de nem mesmo percebermos que ela existe, até que deliberadamente prestemos atenção nela.

Embora eu tenha me tornado muito mais consciente de minhas sensações corporais, descobri que preciso de um processo para penetrar na sensopercepção, como você verá no seguinte relato de um dia típico na vida de Peter.

Volto para casa depois de um dia ocupado com vários afazeres na cidade e imediatamente procuro o controle remoto da TV. Antes de apertar o botão, lembro-me de parar essa distração habitual e de olhar para dentro de mim. No início, estou consciente de meus pensamentos agitados. Eles são como um enxame de moscas. Deixo que essa característica desagradável permeie minha consciência. O ruído se intensifica e minha consciência passa para uma tensão em todo o meu corpo — especialmente no peito. Depois de alguns momentos, começo a notar áreas específicas de desconforto e de dor — elas parecem se movimentar. Observo meus pensamentos ficando um pouco mais lentos à medida que respiro de modo mais fácil e profundo. Vejo algumas imagens fugidias dos acontecimentos do dia. Passa-se mais algum tempo, e percebo uma dor aumentando na parte de trás da minha cabeça. Sinto uma agitação — um tremor nos braços e nas pernas. Penso em me levantar e me ocupar. Em vez disso, permaneço sentado. Logo percebo minha cabeça querendo se inclinar para a frente. Isso se transforma num movimento rítmico, suave, embalante. Observo um calor em minhas mãos e, enquanto elas começam a formigar levemente, me apercebo de como estavam frias. Sinto um calorzinho na barriga, e ele se intensifica e se espalha enquanto eu o observo. O telefone começa a tocar — me sinto perturbado e aborrecido. Há uma sensação inquieta em meus braços que desaparece quando reparo nos passarinhos que estão cantando fora da janela. A próxima coisa que vem à minha consciência é a imagem de um velho amigo. Experiencio um sentimento caloroso quando o reconheço. Observo uma sensação de espaço em meu peito. Ela tem uma qualidade plena e arredondada.

Experiencio essa "imagem sentida" de meu amigo dentro dessa amplidão. Relaciono-a com a palavra "felicidade", sentindo um fluxo calmo, suave e pulsante em meus braços e pernas, e estou feliz (isto é, tenho a sensopercepção de felicidade).

DEIXE QUE O CORPO EXPRESSE SUA MENTE

Existem muitas razões pelas quais poderíamos optar por desenvolver a sensopercepção. Ela amplia o nosso prazer com as experiências sensuais e pode ser um portal para os estados espirituais. Estudos (relatados por Gendlin em *Focusing*) mostraram que as terapias que utilizam a sensopercepção costumam ser mais eficazes do que aquelas que não a utilizam. A sensopercepção ajuda algumas pessoas a se sentirem mais naturais — mais ligadas à terra, mais à vontade no próprio corpo. Ela aumenta nosso senso de equilíbrio e de coordenação, melhora a memória, nos dá um acesso mais profundo aos impulsos instintivos sutis que guiam a cura do trauma e aumenta a criatividade. É a partir da sensopercepção que experienciamos bem-estar, paz e conexão. É como experienciamos o *self*.

Hoje, a frase "confie em seus instintos" é bastante usada. A sensopercepção é o meio pelo qual aprendemos a ouvir essa voz instintiva. A maioria de nós tem pouca experiência que nos ajude a chegar a essa consciência. Estamos acostumados a viver de um modo muito desconectado — um modo que não inclui a nossa sensopercepção. Se você for uma dessas pessoas, contatar a sensopercepção provavelmente será estranho. Não desanime. É difícil no começo, mas continue; vai acontecer. A cultura ocidental não nos ensina a experienciar a nós mesmos dessa forma. Somos ensinados a ler, escrever, calcular etc., mas raramente encontramos escolas que ensinem alguma coisa a respeito da sensopercepção. Ela nunca é mencionada em casa, na rua ou em qualquer outro lugar. A maioria das pessoas usa esse sentido todos os dias, mas poucos o reconhecem conscientemente, e ainda menos pessoas o cultivam. É importante lembrar que a sensopercepção é uma habilidade humana maravilhosa e muito natural.

Aqueles que estão traumatizados deveriam ter consciência de que aprender a trabalhar com a sensopercepção pode ser um desafio. Parte da dinâmica do trauma é que ele nos separa de nossa experiência interna, a fim de proteger nosso organismo das sensações e emoções que poderiam ser excessivas. Talvez demore um pouco até que você confie o bastante para permitir que um pouco da sua experiência interna venha à superfície. Seja paciente e sempre lembre a si mesmo de que você não precisa experienciar tudo agora. Essa jornada do herói se realiza com um pequeno passo por vez.

USANDO A SENSOPERCEPÇÃO PARA OUVIR O ORGANISMO

Queremos começar a usar nossa voz instintiva. O primeiro passo é aprender a usar a sensopercepção para ouvi-la. A atitude mais útil nessa jornada é a gentileza. Entrar em contato com *o self* instintivo é algo poderoso. Nunca tente forçar isso. Vá com calma, lentamente. Se você se sentir sobrecarregado em algum momento, pode ser que tenha exagerado. Da próxima vez que você chegar perto dessa curva, diminua a marcha. Certamente, trata-se de um momento em que você chegará mais depressa se for mais devagar. Às vezes, a sensopercepção aparece lentamente; em outras, somos atingidos por um *flash* de compreensão, e a coisa toda fica instantaneamente clara. A melhor atitude é manter-se aberto e curioso. Não tente interpretar, analisar ou explicar o que está acontecendo; apenas experiencie e observe. Também é desnecessário dragar memórias, emoções, *insights* ou qualquer outra coisa. Tudo bem se elas aparecerem, mas é mais importante observá-las sem interpretação ou apego emocional; observe-as e deixe-as ir. “Aceitar do jeito que for” é a melhor maneira de aprender a linguagem da sensopercepção. A informação virá na forma de palavras, imagens, *insights* e emoções que invariavelmente serão acompanhadas de outra camada de sensações. Essas sensações podem ser difíceis de definir, mas ainda assim são reconhecíveis quando você aprender a prestar atenção num nível muito sutil.

Aprender a conhecer a si mesmo por meio da sensopercepção é um primeiro passo em direção à cura do trauma. Anteriormente, descrevi essa sensação como um riacho. À medida que você desenvolve a capacidade de prestar atenção à sensopercepção, verá que essa é uma analogia extremamente apropriada. As reações e respostas a pessoas, objetos e situações que você encontra começam a se mover por sua consciência como um riacho sempre em mutação. O exercício a seguir é uma versão mais profunda do exercício anterior sobre a sensopercepção. Ele o ajudará a ter o senso de como é esse "riacho". Também o ajudará a desenvolver a capacidade de ouvir aquilo que o organismo como um todo tem a dizer.

Exercício

Você precisará de um livro ou de uma revista com muitas imagens para realizar este exercício. Livros ilustrados, revistas sobre turismo ou natureza e calendários ilustrados funcionam bem. Você só precisará olhar para as imagens para fazer este exercício. A leitura usa uma parte diferente do cérebro, não a parte que sente. Aqui, você vai enfatizar a percepção direta.

Antes de abrir o livro, sinta seus braços e pernas e observe as sensações nos locais em que há contato com a superfície onde você está sentado. A seguir, acrescente outras sensações físicas que esteja sentindo, como a sensação de suas roupas, sapatos ou cabelo. Finalmente, acrescente quaisquer outras sensações que surjam, como aperto, abertura, temperatura, formigamento, tremor, fome, sede, sonolência etc. Volte à sensopercepção durante todo o exercício para trazer sua consciência, de maneira integral, para seu corpo e sua respiração.

Olhe para a primeira figura. Observe como você responde a ela. Você gosta dela, sente-se neutro em relação a ela, não gosta dela? Ela é bonita, calma, estranha, misteriosa, fantasmagórica, alegre, triste, artística ou tem outra característica? Qualquer que seja sua resposta, apenas a observe. Se existirem diversas partes em sua resposta, observe quais são elas. Isso é normal. Quase nunca temos uma única reação a algo.

Agora pergunte a si mesmo: como sei que esta é a minha resposta a essa figura? Tente identificar as sensações corporais que acompanham a visão dessa imagem. Algumas sensações podem ser sutis; outras, mais fortes. Sejam quais forem, apenas as observe. Você sente a energia se movendo ou parando de repente? Se você sente a energia se movendo, como ela se move: lenta, rápida, em qual direção? Existe algum tipo de ritmo na sensação? Ela está localizada em alguma parte específica de seu corpo? Ela é tensa, solta, fácil, relaxada, formigante, pesada, leve, fria, densa, quente, revigorante ou tem alguma outra característica? Preste atenção à sua respiração e aos batimentos de seu coração. Observe a sensação em sua pele e sua sensação corporal no geral. Experienciar qualquer uma dessas sensações é um ponto de partida.

Permaneça com essas sensações por alguns minutos e veja se elas se modificam. Elas podem permanecer as mesmas, desaparecer, ficar mais fortes ou mais fracas. Observe essa dinâmica. Aconteça o que acontecer, apenas observe. Se as sensações se tornarem desconfortáveis, apenas preste atenção em outra coisa por um instante. Pegue a próxima imagem e repita o processo. À medida que você ficar mais familiarizado com esse processo, poderá passar pelo livro ou pela revista numa velocidade que lhe seja confortável. Quando se está aprendendo a usar a sensopercepção pela primeira vez, pode ser mais fácil contatá-la se você se mover lentamente, focalizando sobretudo as sensações e os sentidos.

Mais adiante, apresento exercícios que trabalham especificamente com as sensações físicas e emocionais relacionadas ao trauma. Como algumas emoções ficaram misturadas aos sintomas traumáticos, é necessário aprender a explorá-las. Além disso, as emoções representam um desafio especial para o trabalho da sensopercepção, pois podem ser fortes, imperiosas, dramáticas e intrigantes. A maioria das pessoas acha que as emoções são um assunto de pesquisa muito mais interessante do que as sensações. Contudo, se você quer aprender a usar a sensopercepção, sobretudo para resolver um trauma, precisa aprender a reconhecer as manifestações fisiológicas (sensações) que são subjacentes às suas reações emocionais. As sensações vêm dos sintomas, e os sintomas vêm da energia comprimida; nesse processo, temos de trabalhar com essa energia. Por meio da sensação e da sensopercepção, essa vasta energia pode se descomprir gradualmente e ficar disponível para o objetivo de transformar o trauma.

Mais uma vez, lembre-se de ser delicado, de fazer o exercício de um modo fácil e lento e não associe nenhum tipo de interpretação ou de julgamento àquilo que você experienciar. Apenas permita que qualquer coisa que você experienciar se movimente por você em direção à próxima experiência. Mesmo que o exercício lhe pareça familiar, tente abordá-lo de um modo novo, como se você nunca tivesse feito nada parecido com isso — desse modo, poderá extrair mais dele.

Exercício

Em vez de usar um livro ou uma revista para este exercício, você usará fotografias ou recordações. Um álbum de família, de recordações de uma viagem ou de um período anterior de sua vida funcionará perfeitamente. As imagens deverão ser sobretudo de pessoas que você conheça bem e de lugares que tenha visitado. Mais uma vez, você não fará nada a não ser olhar as imagens.

Comece sentindo seus braços e pernas e observe o que sente quando seus membros estão em contato com a superfície onde você está sentado. Acrescente quaisquer outras sensações físicas que esteja experienciando. Fazer isso de vez em quando no decorrer do exercício o ajudará a trazer sua consciência, de maneira integral, para seu corpo.

Olhe para a primeira imagem (ou para a primeira página, se estiver usando um álbum de recordações). Observe como você responde a ela. Que emoções ela evoca? Você se sente feliz, alegre, apreensivo, um pouco incomodado, confuso, triste, com raiva, amado, grato, envergonhado, detestável, aborrecido, perturbado, simplesmente nostálgico ou tem outra sensação? Todas essas emoções parecem diferentes. Elas são experienciadas de modo diferente. Só observe a sua reação, qualquer que seja ela. Se houver várias reações, observe cada uma delas. Sua reação é forte ou fraca? Como você sabe que ela é forte ou fraca? Se você puder responder essa pergunta em termos de sensações em seu corpo, estará no caminho de ser capaz de usar a corrente fisiológica subjacente às emoções.

Agora se pergunte: como sei que esta é a minha reação emocional a essa imagem? Tente identificar as sensações subjacentes a essa reação. Algumas sensações podem ser fortes, enquanto outras se mostram mais sutis. Apenas as observe, quaisquer que sejam. Você sente algum tipo de tensão ou energia? Se sim, qual é a intensidade dela e onde ela está? Preste atenção à sua respiração, ao batimento de seu coração e aos padrões de tensão em todo o seu corpo. Observe a sensação em sua pele. Como seu corpo está se sentindo no geral? Sua reação parece tensa, poderosa, vaga, calma, aguda, confusa, entorpecida, quente, frouxa, viscosa, relaxada, pesada, leve, fria, densa, morna, revigorante, formigante, vibrante, trêmula, repugnante, sólida ou tem outra característica? Onde está a sensação em seu corpo? Se ela parece ter algum volume, pergunte-se de que material ela parece ser feita. Se você sente a energia se movendo, como ela se move — lentamente, depressa, em qual direção? A sensação se expande de algum modo? Para onde? Seja o mais específico que puder. Como você sabe qual é a sua reação?

Se notar que está usando palavras que normalmente são entendidas como emoções, selecione uma e se pergunte: como sei que sinto uma emoção? Fotografias ou recordações podem trazer lembranças de outros acontecimentos, pois as emoções se baseiam nas conexões com o passado. Apenas observe as sensações que vêm com essas lembranças. Lembre-se sempre de sentir e descrever o que sente como sensações, não como emoções ou pensamentos.

Passe para a próxima imagem e repita o processo. Lembre-se de ir devagar para ser capaz de observar as sensações que emergirem em resposta. A cada imagem ou página do álbum, fique por alguns minutos com as sensações que forem evocadas e observe se elas mudam. Elas podem permanecer as mesmas ou desaparecer mas também podem ficar mais fortes. Aconteça o que acontecer, apenas observe.

Se os sentimentos ou sensações ficarem intensos demais ou desagradáveis, transfira deliberadamente sua atenção para uma experiência agradável que você tenha tido ou que consiga imaginar. Foque toda sua consciência nas sensações corporais dessa experiência. Transferir sua atenção para outras sensações vai ajudá-lo a diminuir a intensidade das sensações desagradáveis. Lembre-se de que o trauma não resolvido pode ser uma força poderosa. Se continuar a se sentir sobrecarregado pelos exercícios ou por qualquer parte do material deste livro, por favor, pare um pouco, experiencie novamente depois ou busque o apoio de um profissional treinado.

Se a imagem de uma cena horrível aparecer em sua mente, observe com calma que sensações a acompanham. Às vezes, quando as sensações são intensas, as imagens vêm primeiro. Em última instância, a sensação é aquilo que o ajudará a se mover pelo trauma — qualquer que seja ele. Talvez, no fim, você saiba o que é, talvez não. Por enquanto, apenas assegure-se de que, à medida que você atravessa suas reações, a necessidade de saber o que era real ou não fique mais fraca. Se houver uma necessidade objetiva de saber o que de fato é verdadeiro, por exemplo, para proteger uma criança que possa estar correndo algum risco, você estará numa posição melhor para lidar efetivamente com a situação.

Esteja ciente de que as energias do trauma podem estar presas em crenças a respeito de ser vítima de estupro ou abuso. Parte dessa energia é liberada quando se desafiam essas crenças, sobretudo se não forem verdadeiras. Se esse for o seu caso, descanse e dê a si mesmo bastante tempo para processar essa nova informação. Permaneça com as sensações que você experienciou pelo tempo que for possível; não se assuste se se sentir trêmulo ou fraco. Essas duas sensações são evidências de que está ocorrendo uma descarga normal. Não se force a fazer mais do que consegue. Se se sentir cansado, tire um cochilo ou vá dormir mais cedo. Parte da graça do sistema nervoso é que ele está constantemente se autorregulando. Aquilo que você não puder processar hoje estará disponível para ser processado em outro momento em que você estiver mais forte, com mais recursos e mais capacitado para fazê-lo.

Existem elementos tanto fisiológicos quanto psicológicos na sensopercepção. Esboçarei algumas das diferenças principais desses elementos nos dois tópicos a seguir. O primeiro deles focaliza o modo como o organismo se comunica por meio de sua fisiologia; o segundo aborda algumas das convenções e costumes psicológicos pelos quais o organismo opera. Essas discussões vão ajudá-lo a fortalecer sua capacidade de usar a sensopercepção no terreno da fisiologia e das emoções.

COMO O ORGANISMO SE COMUNICA

O organismo tem um modo próprio de se comunicar, e você vai aprender mais a respeito dele à medida que ler este livro. Algumas das características mais importantes de como ele se comunica já devem estar evidentes depois do exercício anterior. Pense nele. Você observou que, quando descrevia as sensações, usou palavras que se referiam a sensações fisiológicas com as quais estava acostumado? Se você nunca tivesse sentido algo que fosse vago, não saberia o que é vago e o organismo não usaria vago para descrever uma sensação. O organismo usa aquilo que já sabe para descrever aquilo que está experienciando. Não o interprete literalmente. Uma sensação pode parecer vaga, aguda, feita de vidro, madeira ou plástico. Obviamente, "parecer" é uma parte importante da descrição. Não há nada dentro de você que seja realmente vago ou agudo. Você não tem pedaços de madeira, vidro ou plástico dentro de si, a menos que tenha passado por algum procedimento cirúrgico muito mal executado. As sensações apenas se parecem com essas coisas. Elas são metáforas. As sensações, contudo, podem também ser literais e corresponder à informação recebida de órgãos, ossos e músculos.

Os organismos não usam apenas as características dos objetos físicos para se comunicar. Usam também imagens que podem facilmente ser interpretadas como memórias. As forças energéticas que resultam no trauma são imensamente poderosas. As emoções geradas pelo trauma incluem a fúria, o terror e a impotência. Pense no tipo de imagem que você poderia ver se seu corpo quisesse comunicar a presença dessas energias por intermédio de imagens. As possibilidades seriam infinitas e todas teriam uma coisa em comum — não seriam bonitas. Um erro que ocorre frequentemente é que interpretamos essas comunicações visuais como realidade. Uma pessoa traumatizada pode acabar acreditando que foi estuprada ou torturada quando a mensagem real que o organismo está tentando transmitir é a de que a sensação experienciada *se parece* com estupro ou tortura. O culpado real poderia facilmente ser um procedimento médico assustador, um acidente de automóvel ou até mesmo negligência durante a infância. Literalmente, poderia ser qualquer coisa

É claro que algumas imagens são memórias de fato. As pessoas que sofreram estupro ou tortura vão se basear nessas experiências para produzir imagens. É comum que as crianças que passaram por isso não se lembrem dessas imagens durante vários anos. Mesmo quando as imagens são memórias "verdadeiras", precisamos entender o papel delas na cura. As explicações, crenças e interpretações conectadas com as memórias podem impedir que a pessoa entre inteiramente na sensopercepção e se aprofunde nela. As sensações que acompanham essas imagens são imensamente valiosas. Para nossos objetivos, o mais importante é o modo como as sensações se parecem e o modo como elas mudam.

A SENSAÇÃO E A SENSOPERCEPÇÃO

A primeira coisa a ser reconhecida quando trabalhamos com a fisiologia é que a sensopercepção está intimamente ligada à percepção consciente. É como observar um cenário ou, nesse caso, senti-lo. Percepção consciente significa experienciar o que está presente sem tentar mudá-lo ou interpretá-lo. Em qualquer momento em que você se pegar dizendo ou pensando "isto quer dizer", você está anexando uma interpretação à sua experiência, e isso o distanciará da simples percepção consciente e o levará de volta ao reino da psicologia. O significado tem um lugar na cura do trauma em consequência da percepção imediata. Por enquanto, é mais importante focar naquilo que você experiencia em vez de naquilo que você pensa a respeito. Falarei mais sobre a importância do significado na cura do trauma.

As sensações são o fenômeno físico que contribuem para a nossa experiência geral. Pegue um cubo de gelo, por exemplo. Algumas das sensações que descrevem o modo como um cubo de gelo é sentido incluem: frio, liso, duro e em forma de cubo. Todas essas sensações são importantes para criar um entendimento completo do cubo de gelo. O mesmo é verdadeiro com relação às sensações internas. Quando você está começando, é especialmente importante verificar e confirmar que você tenha trazido cada característica de uma sensação específica para a sua percepção consciente ao observá-la. Você pode perder algumas das características de uma sensação por não lhes dar importância, por não perceber conscientemente a sensação inteira ou porque a característica em questão é sutil ou difícil de definir.

Um cubo de gelo retirado direto do *freezer* pode ser seco, além de frio, duro, liso e em forma de cubo. Depois de um tempo, será molhado em vez de seco. Primeiro seco e depois molhado completam a imagem da coisa fria, dura, lisa e em forma de cubo. A analogia se aplica à experiência interna, e, como o cubo, essa experiência muda enquanto você a segura por algum tempo. Quando você se conscientiza dela, as sensações internas quase sempre se transformam em outra coisa. Qualquer mudança desse tipo normalmente está se movendo em direção a um fluxo de energia livre e à vitalidade.

RITMO: TODOS OS FILHOS DE DEUS O TÊM

Não se pode apressar o rio.

— Anônimo

As sensações acontecem numa variedade infinita. Essa é uma das razões pelas quais a simples percepção consciente é tão importante. A receptividade o ajudará a observar as nuances em suas sensações com muito mais facilidade. Na terra da fisiologia, as sensações e os ritmos sutis são tão importantes quanto aqueles espalhafatosamente óbvios.

A última característica da sensopercepção que eu gostaria de mencionar se relaciona com a importância do ritmo. Os fenômenos fisiológicos ocorrem em ciclos. Os ritmos biológicos são fundamentalmente importantes na transformação do trauma. No início, pode ser difícil ter paciência para permitir que venham à consciência. Seu andamento é muito mais lento do que o andamento em que a maioria de nós vive. Essa é uma das razões pelas quais o trauma se desenvolve; não damos a nosso ritmo biológico o tempo de que ele precisa para atingir a plenitude. Na maioria dos casos, os ciclos de que estou falando se completarão em alguns minutos, mas esses poucos minutos são essenciais. O lugar primário em que você notará esses ritmos é no fluxo e refluxo de suas sensações e no modo como elas fluem. Uma sensação se transformará em outra coisa (outra sensação, imagem ou sentimento) à medida que você observar todas as suas características, e isso acontecerá em um andamento próprio — você não pode apressar o rio. Sintonizar-se com esses ritmos e respeitá-los faz parte desse processo.

Agora você tem as informações básicas para usar a sensopercepção. Pensar nisso como um instrumento pode ajudá-lo a conhecer a si mesmo como um organismo complexo, biológico e espiritual. A sensopercepção é simples e elegante. Ainda assim, ela é milhões de vezes mais sofisticada do que os computadores mais poderosos. Consiste em percepção consciente, sensação, sutileza, variedade e ritmo. Se você está começando a apreender tanto os elementos primitivos quanto os refinados da sensopercepção, está no caminho certo.

7. A EXPERIÊNCIA ANIMAL

Eu afirmo que a unicidade do homem não pode ser vista em toda a sua grandeza imponente a menos que seja colocada contra o background dessas características históricas arcaicas que o homem ainda hoje compartilha com a vida animal.

— Konrad Lorenz

O mundo vívido de nossas emoções, medos e respostas é como uma grande floresta com sua fauna. Experienciamos esses sentimentos como se eles fossem animais selvagens que disparam por entre a folhagem de nosso ser denso, que nos observam tímidos e alarmados ou andam furtivamente e espreitam astutamente, ligando-nos a nossos eus desconhecidos...

— Paul Shepard

A base para a fisiologia humana evoluiu com as primeiras criaturas que se arrastaram para fora do oceano primevo. Por mais que gostássemos de pensar de outra forma, nossa conexão com esse início permaneceu fundamentalmente a mesma. No nível do organismo biológico básico, não há pensamento ou conceitualização, há apenas a resposta instintiva a qualquer coisa que aconteça. Alguns impulsos do organismo humano são obscuros; outros, poderosos e incontroláveis. Não importa até que ponto estejamos evoluídos em termos de capacidade de raciocinar, sentir, planejar, construir, sintetizar, analisar, experimentar e criar; não existe substituto para as forças curadoras instintivas sutis que compartilhamos com o nosso passado primitivo.

OS ANIMAIS TAMBÉM O FAZEM

A natureza dota quase todos os seres vivos de respostas muito semelhantes no sistema nervoso diante da ameaça de perigo. Contudo, dentre todas as espécies, existe apenas uma que rotineiramente desenvolve efeitos traumáticos duradouros — os humanos.

A única vez em que vemos efeitos semelhantes em outros animais é quando eles são domesticados ou sistematicamente colocados em condições estressantes em ambientes controlados de laboratório. Nesses casos, desenvolvem reações traumáticas agudas e crônicas.

Essa revelação provoca as seguintes perguntas:

- A resposta do sistema nervoso à ameaça parece ser bem projetada e funciona de maneira eficiente em praticamente todas as criaturas. Por que os humanos são incapazes de tirar plena vantagem desse sistema?
- Não sabemos como acessá-lo?
- Estamos sobrecarregando o sistema?
- Por que os seres humanos ficam facilmente traumatizados?
- O que os animais fazem e nós não?
- O que podemos aprender com os animais? De que forma?

No mundo natural, as respostas de sobrevivência que estamos discutindo são normais, saudáveis e dão vantagem aos animais. Quando eles experienciam acontecimentos que ameaçam sua vida, passam rapidamente da reação inicial de choque para a recuperação. Suas reações têm uma limitação de tempo e não se tornam crônicas. Observar esse comportamento pode nos dar uma compreensão a respeito de nossa capacidade instintiva para superar o trauma. Podemos também aprender mais sobre como não interferir em nossos instintos.

A experiência da sensopercepção nos dá um pano de fundo para nos reconectarmos com o animal dentro de nós. Conhecer, sentir e perceber focaliza nossa atenção no lugar onde a cura pode começar. A natureza não nos esqueceu, nós é que a esquecemos. O sistema nervoso de uma pessoa traumatizada não está danificado; está congelado num tipo de animação suspensa. Redescobrir a sensopercepção trará calor e vitalidade para nossas experiências. Esse senso é também um modo suave e não ameaçador de reiniciar o processamento instintivo da energia que foi interrompido quando houve o trauma. Completar esse processo evita que as reações pós-traumáticas se tornem crônicas. Temos mecanismos intrínsecos para responder ao trauma e nos mover em direção à sua resolução natural. Compartilhamos alguns desses mecanismos com os animais, mas alguns são apenas nossos — em particular, os processos extremamente desenvolvidos de pensamento e de linguagem.

Vamos passar agora para uma parte do cérebro que tem importância significativa na discussão do trauma. O cérebro reptiliano está encaixado profundamente no cérebro de todos os animais. Ele é a sede dos instintos. O único modo consciente de acessar nossos recursos de cura é pela sensação e pela sensopercepção. A sensação é a linguagem do cérebro reptiliano. Biológica e fisiologicamente, o cérebro reptiliano é essencial a todos os animais, inclusive aos humanos. Ele é codificado com os planos instintivos para os comportamentos que asseguram a sobrevivência da espécie (autopreservação e reprodução). As mudanças involuntárias que regulam as funções vitais são controladas por essa parte do cérebro. O cérebro reptiliano é o padrão a partir do qual toda a vida superior evoluiu. Embora sua função possa ser ampliada ou aparentemente suplantada nos animais superiores, os comportamentos que se originam no centro reptiliano do cérebro são a chave para destravar o mistério do trauma. Esses comportamentos são o que nos permite experienciar a nós mesmos como animais humanos.

QUANDO O CÉREBRO REPTILIANO FALAR, OUÇA!

> *Não é culpa dele, ele disse. Oh, claro, disse Lex, ele praticamente nos comeu e não é culpa dele. Ele é um carnívoro. Só estava fazendo aquilo que ele faz.*
>
> — Michael Crichton, *Jurassic park*[16]

16. Chrichton, Michael. *Jurassic park*. Nova York: Ballantine, 2012. [Em português: *Jurassic park*. São Paulo: Aleph, 2020.]

A escolha consciente não é uma opção para o réptil. Cada comportamento, cada movimento é instintivo. O instinto, e só o instinto, controla a busca de comida, abrigo e um companheiro adequado para a procriação. Todas as estratégias defensivas estão geneticamente programadas num cérebro primitivo e muito eficiente. Esses comportamentos fazem parte de ciclos rítmicos sobre os quais o réptil não tem controle. Dia a dia, estação a estação, ano a ano, por centenas de milhares de anos, esses rituais da vida têm sido repetidos. Por quê? Porque eles funcionam.

Um inseto se arrasta na direção de um lagarto que toma sol num tronco. A língua do lagarto se move, o inseto se foi. O lagarto não para para pensar se está com fome. Não existem perguntas com relação ao inseto estar suficientemente limpo para ser comido. O lagarto não se preocupa com a contagem de calorias ingeridas ao dia. Ele simplesmente come. Assim como dorme, se reproduz, foge, congela, luta etc. A vida dominada pelo instinto é simples. O lagarto não tem nada a lembrar, nada a planejar, nada a aprender — o instinto cuida de tudo.

Como mamíferos, o impala e o guepardo (Capítulo 1) têm cérebros que incluem tanto o núcleo reptiliano quanto uma estrutura mais elaborada conhecida como cérebro límbico. O cérebro límbico existe em todos os animais superiores (inclusive em nós) e constitui o local primário dos comportamentos emocionais e sociais complexos que inexistem nos répteis. Esses comportamentos não substituem os impulsos instintivos que derivam do cérebro reptiliano; eles os complementam e ampliam. O cérebro límbico recebe impulsos do núcleo reptiliano e elabora os dados. Esse salto evolutivo dá aos mamíferos mais escolhas do que aos répteis.

Uma manada de impalas pasta, se comunica e foge como um só corpo em parte por causa da informação adicional proporcionada pelo cérebro límbico. Além da resposta instintiva de fuga, os impalas desenvolveram e mantiveram uma compreensão de sua maior possibilidade de sobrevivência como grupo (isto é, os jovens impalas tentam juntar-se à manada quando ameaçados — Capítulo 1). As emoções evoluíram com o cérebro límbico. Elas deram aos mamíferos um modo mais desenvolvido de guardar e de comunicar a informação e prepararam o caminho para a evolução do cérebro racional.

O nosso intelecto se desenvolveu a partir de uma matriz instintiva. O instinto define os parâmetros que guiam cada espécie para formar pensamentos e desenvolver uma linguagem. O instinto, a emoção e o intelecto funcionam juntos no humano saudável para criar a maior amplitude possível de escolhas em qualquer situação.

UM COM A NATUREZA

Flutuando, oscilando e pulsando, a criatura mais vulnerável e insubstancial [a água-viva] tem a violência e o poder de todo o oceano para se defender, e ela entrega a ele seu destino e sua vontade.

— Ursula Le Guin, *Lathe of heaven*[17]

Um inseto se arrasta no raio de alcance da língua de um lagarto e morre. Uma manada de impalas fareja o perigo e se move como uma unidade em direção à segurança. Esses exemplos demonstram o potencial dos animais para traduzir imediatamente as pistas externas em respostas instintivas internas. Animal e ambiente são um, sem separação entre estímulo e resposta.

Nenhum organismo ilustra mais graficamente essa sintonia do que a água-viva ou a ameba. Pulsando e movendo-se através de um meio fluido não muito diferente do próprio corpo, a ameba se move integrada ao ambiente. A menor mudança nele gera uma resposta imediata. Por exemplo, a ameba se reorientará para ir em direção à comida ou em direção contrária a algo tóxico. Os sinais externos que ela recebe e a resposta que ela dá ocorrem como um único fato. Eles são virtualmente sincrônicos e sinônimos.

17. Le Guin, Ursula. *Lathe of heaven*. Londres: Gollancz, 2021. [Em português: *A curva do sonho*. São Paulo: Morro Branco, 2019.]

Esse tipo de sintonia é fundamental para a sobrevivência de todos os organismos. Sem ele, como podemos dar respostas apropriadas e adequadas à oportunidade e ao perigo? O veículo para essa sintonia é o corpo. Nos humanos, essa experiência é expressa pela sensação e pela sensopercepção.

SINTONIA

O primeiro rastro é a ponta de uma corda. Na outra ponta, um ser está se movendo; um mistério, deixando uma pista a respeito de si mesmo a intervalos de alguns metros, dizendo mais a você sobre ele até que se torna quase visível, mesmo antes de chegar até ele.
— *The tracker*, Tom Brown Jr.[18]

No mundo atual, a maioria das pessoas perdeu a capacidade de estar presente ou sintonizada com as nuances de suas paisagens internas e externas. Contudo, esse tipo de percepção consciente continua sendo a chave para o funcionamento de muitos povos nativos. Pense na experiência de um rastreador nativo na selva.

Para conseguir sintonizar-se com o ambiente, o rastreador precisa permanecer completamente atento a suas respostas animais e a sua sensopercepção. Ao fazê-lo, ele não só se torna mais consciente de suas próprias reações, mas também das reações de sua presa. Ele sabe quando o animal está doente ou ferido, faminto ou cansado. Sabe quando o animal esteve caçando ou acasalando e por quanto tempo dormiu. Fica sabendo, por meio das pegadas, onde o animal bebeu. Sabe onde o animal dormiu ao olhar para um monte de neve ao lado de um arbusto. Numa planície varrida pelos ventos, onde não existem sinais, o rastreador se guia por seu senso de "unidade" com o animal. O instinto lhe diz para onde o animal foi. Ele e o animal compartilham o mesmo espírito.

18. Brown Jr., Tom. *The tracker*. Nova York: Berkley Publishing Group, 1986.

Embora o rastreador tenha se sintonizado fortemente com o animal que está rastreando, ele também precisa permanecer consciente de todos os outros estímulos (informação) no ambiente, tanto interno quanto externo. Ele pode estar sendo rastreado ou pelo menos observado por outros animais famintos ou curiosos. Sua segurança depende de permanecer presente, utilizando a sensopercepção. Desse modo, seus sentidos finamente ajustados são capazes de perceber o som ou os movimentos mais sutis. Internamente, ele pode ser alertado do perigo por um senso intangível de que algo não está certo. Os odores são ricos, as cores, brilhantes e vibrantes. Tudo está repleto de vida. Nesse estado de consciência, é possível encontrar beleza naquilo que de outro modo seria percebido como comum — um galho, uma lagarta, uma gota de orvalho numa folha.

Enquanto o rastreador está sintonizado com esse fluxo, sente um profundo senso de bem-estar. Ele está pronto para responder, está alerta *mas relaxado*. Respostas de orientação, que funcionam num nível ótimo, dão confiança e um senso de segurança ao rastreador com relação à sua capacidade de identificar e de confrontar qualquer desafio que possa encontrar.

Essas respostas instintivas significam sobrevivência para os animais selvagens — proporcionam a eles a capacidade de sintonia e unidade com o ambiente que os manterá vivos. Os seres humanos podem obter muito mais pela utilização dessas respostas animais. Elas ampliam nossa capacidade de conexão e deleite, trazendo-nos vivacidade e vitalidade. Quando somos saudáveis e não traumatizados, essas respostas instintivas acrescentam sensualidade, variedade e um senso de maravilhamento à nossa vida.

A RESPOSTA DE ORIENTAÇÃO

O hadrossauro continuou a comer e está apenas alguns metros dele.
Grant olhou para as duas narinas alongadas no alto do bico chato.
Aparentemente, o dinossauro não conseguia sentir o cheiro de Grant.

> *E, mesmo que o olho esquerdo o estivesse olhando diretamente, por alguma razão o hadrossauro não reagia a ele. Ele se lembrou de que o tiranossauro não tinha conseguido enxergá-lo na noite anterior. Decidiu fazer um experimento. Tossiu. Imediatamente o hadrossauro congelou, a grande cabeça ficou subitamente imóvel, as mandíbulas pararam de mastigar. Só o olho se movia, procurando pela fonte do som. Então, depois de um momento, quando parecia não haver mais perigo, o animal voltou a mastigar.*
>
> — Michael Crichton, *Jurassic park*

Imagine que você está andando tranquilamente num campo aberto e, de repente, uma sombra se move na periferia de sua visão. Como você reage a isso? Instintivamente, você para de andar. Talvez se agache um pouco, numa postura flexionada, e os batimentos de seu coração talvez mudem à medida que seu sistema nervoso autônomo é ativado. Depois dessa resposta momentânea de "parada", seus olhos ficarão bem abertos. Sem que você o faça deliberadamente, sua cabeça se vira na direção da sombra, numa tentativa de localizá-la e identificá-la. Sinta seus músculos. O que eles estão fazendo?

Os músculos do seu pescoço, costas, pernas e pés estão trabalhando juntos para virar o seu corpo, que agora está instintivamente se esticando e se alongando. Seus olhos se estreitam à medida que sua pelve e cabeça se movem horizontalmente para lhe dar uma ótima visão panorâmica do que o cerca. Qual é o seu estado interior? Que outros aspectos intangíveis de si mesmo você sente como resposta à visão da sombra? A maioria das pessoas sentir-se-á alerta e envolvida, curiosa sobre o que poderia ter sido. Talvez haja um toque de excitação e de antecipação estimulando seu desejo de descobrir o que é a sombra. Pode haver também uma sensação de perigo iminente.

Quando um animal sente uma mudança no ambiente, ele responde procurando a fonte da perturbação. A busca pode consistir apenas em um único olho que examina os arredores. O animal se orienta em direção a um companheiro ou a uma fonte de comida em potencial e se afasta de um possível perigo. Se a mudança não indicar perigo, comida ou um companheiro potencial, um animal como o hadrossauro vai simplesmente voltar à sua atividade anterior. O comportamento de um animal quando ele experiencia e responde à novidade no ambiente é chamado de "resposta de orientação".

Essas respostas instintivas são tão primitivas quanto o cérebro reptiliano que as organiza. Elas permitem que um animal responda com fluidez a um ambiente em constante mudança. Todos os animais saudáveis (inclusive os humanos) têm esses padrões coordenados de movimentos musculares e de percepção consciente. Apesar de nossas diferenças com relação ao lagarto e ao impala, os novos sons, cheiros e movimentos em nosso ambiente evocam em nós o mesmo padrão básico de resposta.

Ivan Pavlov, o renomado fisiologista russo, reconheceu e descreveu essas respostas de orientação em seu trabalho monumental a respeito do condicionamento animal. Ele chamava essa característica inata de resposta de reflexo "*shto eta takoe*". As tentativas de traduzir de maneira literal essa expressão resultaram no chamado reflexo "o que é?" Uma tradução mais exata, contudo, sugere algo mais próximo de "o que é isso" ou "o que está acontecendo aqui" ou "ei, o que está acontecendo!", que enfatizam a surpresa e a curiosidade inerentes à resposta. Essa dupla resposta (reagir e questionar) é amplamente reconhecida como a característica dominante dos comportamentos de orientação. Nos humanos, do mesmo modo que nos outros animais, a expectativa, a surpresa, o alerta, a curiosidade e a habilidade de sentir o perigo são todas formas de consciência cenestésica e perceptiva que emergem desses complexos de orientação. Esses recursos estão reduzidos na pessoa traumatizada. Com frequência, qualquer estímulo ativará a resposta de congelamento (trauma) em vez de uma resposta de orientação apropriada (isto é, um veterano traumatizado pode desabar de medo ao ouvir o barulho do escapamento de um carro).

As respostas de orientação são o meio primário pelo qual o animal se sintoniza com o ambiente. Elas estão constantemente se fundindo uma na outra e se adaptando para permitir uma variedade de reações e escolhas. O processo de determinar onde ele está, o que é isso e se é perigoso ou desejável ocorre primeiro no subconsciente.

Há pouco tempo, uma amiga me contou uma história que ilustra de modo vívido esse instinto animal em ação. Numa viagem pela África, Anita, o marido e o filho de 3 anos estavam fazendo um safári no Quênia. Eles estavam viajando pela reserva Masai Mara numa van e tinham parado para descansar. Ela e o marido estavam sentados em lados opostos no carro; o filho, sentado no colo do pai, estava perto de uma janela aberta. Eles conversavam sobre alguns animais que tinham visto, quando minha amiga, de repente, sentiu que seu corpo se curvava para fechar a janela, sem que houvesse qualquer razão aparente. E aí ela viu — isto é, percebeu conscientemente — a serpente, que, da grama, subia por fora da van e estava a alguns centímetros do rosto da criança.

A resposta da mãe foi anterior à sua percepção consciente da serpente. A demora poderia ter tido consequências mortais. O cérebro instintivo vai frequentemente orientar, organizar e responder aos estímulos muito antes de estarmos conscientes deles.

FUJA, LUTE... OU CONGELE

Enquanto Grant observava, um único braço moveu-se lentamente para afastar as samambaias do rosto do animal. Grant viu que o membro tinha músculos fortes. A mão tinha três dedos, e cada um deles terminava numa unha curvada e afiada. A mão afastou as samambaias suave, lentamente. Grant sentiu um arrepio e pensou: "Ele está nos caçando". Para um mamífero como o homem, existe algo indescritivelmente alienígena no modo como os répteis caçam suas presas. Não é de se espantar que os homens odeiem os répteis. A quietude, a frieza, o ritmo, tudo estava errado. Estar no meio de crocodilos ou de grandes répteis era ser lembrado de um tipo diferente de vida, um tipo diferente de mundo...

— Michael Crichton, *Jurassic park*

Algumas espécies desenvolveram mecanismos que são especialmente adequados para mantê-las em segurança. A zebra usa a camuflagem para evitar que seja descoberta e atacada; a tartaruga se esconde; as toupeiras escavam; os cachorros, lobos e coiotes assumem uma postura submissa. Os comportamentos de lutar, fugir e congelar são tão primitivos que são anteriores até mesmo ao cérebro reptiliano. Esses instrumentos de sobrevivência são encontrados em todas as espécies, de aranhas e baratas até primatas e seres humanos.

Os comportamentos defensivos primitivos e universais são chamados de estratégias de "luta ou fuga". Se a situação evocar agressão, a criatura ameaçada lutará. O animal ameaçado fugirá, se puder, quando houver possibilidade de perder a luta. Essas não são escolhas pensadas; são orquestradas instintivamente pelos cérebros reptiliano e límbico. Existe uma outra linha de defesa, quando nem a luta nem a fuga garantirão a segurança do animal: a imobilidade (congelamento), que é universal e básica para a sobrevivência. Por razões inexplicáveis, essa estratégia de defesa raramente recebe a mesma atenção nos textos de biologia e de psicologia. Entretanto, é uma estratégia de sobrevivência igualmente viável em situações ameaçadoras e, em muitas delas, é a melhor escolha.

No nível biológico, sucesso não significa ganhar, mas sobreviver, e não importa como você o consiga. O objetivo é permanecer vivo até que o perigo passe e, depois, lidar com as consequências. A natureza não julga qual é a estratégia superior. Se o coiote deixa em paz o gambá aparentemente morto, este vai recuperar a imobilidade e continuar seu caminho sem se preocupar se poderia ter respondido de maneira melhor. Os animais não percebem o congelamento como um sinal de inadequação ou de fraqueza, e nós também não deveríamos fazer isso.

O propósito de correr ou lutar para fugir do perigo é óbvio. A eficácia da resposta de imobilidade é menos aparente, mas é um mecanismo de sobrevivência igualmente importante. No fim das contas, só a natureza determina quais respostas instintivas aumentarão a probabilidade geral de sobrevivência das espécies. Nenhum animal, nem mesmo o humano, tem controle consciente do fato de congelar ou não em resposta a uma ameaça. O congelamento oferece várias vantagens quando um animal percebe que está preso numa armadilha e não pode escapar pela fuga ou pela luta.

Primeiro, muitos animais predadores não vão matar nem comer um animal imóvel a menos que estejam muito famintos. A imobilidade é uma imitação da morte que engana o predador e o faz sentir que a carne pode estar estragada. Por esse ato de ilusão, a presa tem a chance de fugir.

Segundo, os animais predadores têm mais dificuldade de perceber uma presa em potencial se ela não estiver se mexendo. Isso é especialmente verdadeiro quando a aparência ou a forma como a presa está funcionam como camuflagem. Alguns animais só conseguem perceber a presa quando ela se move. O sapo ou o lagarto, por exemplo, não conseguem perceber um inseto na grama até que ele se mexa. Além disso, muitos predadores não são estimulados a atacar uma presa imóvel; com frequência, um corpo inerte não evoca a agressão.

Terceiro, se um predador atacar um grupo de presas, e uma delas cair, isso pode distraí-lo momentaneamente, permitindo que o resto da manada escape.

Quarto, num mundo em que todos os animais se localizam em algum ponto da cadeia alimentar, podendo ser tanto predadores quanto presas, a natureza proporciona um mecanismo que minimiza a dor sofrida na morte.

A VOLTA À ATIVIDADE NORMAL

Enfatizei a imobilidade ou resposta de congelamento porque, com frequência, ela leva ao trauma humano. Os animais não sofrem nenhuma consequência ao "fingirem" estar "mortos", seja qual for o modo como o fazem. Se os observarmos cuidadosamente, perceberemos como fazem isso.

Uma manada de veados pasta numa clareira da floresta. Um galho estala. Os veados ficam imediatamente em alerta — prontos para fugir para a mata. Eles podem fugir se forem acossados. Cada animal fica imóvel. Eles ouvem e cheiram o ar (orientação) tentando descobrir a fonte do som, e seus músculos estão tensos. Percebendo que o barulho não representa nada de importante, voltam a mastigar calmamente o alimento, limpando e cuidando dos filhotes e se aquecendo ao sol da manhã. Outro estímulo faz que os animais voltem ao estado de alerta e de extrema vigilância (hipervigilância), mais uma vez prontos para fugir ou lutar. Alguns segundos depois, não tendo encontrado nenhuma ameaça real, os veados voltam à atividade anterior.

Se observarmos os veados com atenção através de binóculos, testemunharemos a transição do estado de vigilância ativa para a atividade relaxada normal. Quando os animais percebem que não estão em perigo, começam a vibrar, contrair-se e tremer levemente. Esse processo se inicia com uma leve contração ou vibração na parte superior do pescoço, ao redor das orelhas, e se espalha para o peito, os ombros e, por fim, para o abdome, a pelve e as pernas traseiras. Esses pequenos tremores do tecido muscular são o modo como o organismo equilibra os estados extremamente diferentes de ativação do sistema nervoso. O veado passa por esse ciclo rítmico dezenas, talvez centenas de vezes por dia. Esse ciclo ocorre cada vez que os veados são ativados. Os animais passam fácil e ritmicamente do estado de alerta relaxado para o de hipervigilância tensa.

OS ANIMAIS COMO PROFESSORES

Os animais selvagens nos oferecem um padrão de saúde e vigor e também nos proporcionam um *insight* quanto ao processo biológico de cura. Eles nos dão um precioso vislumbre de como agiríamos se nossas respostas fossem puramente instintivas. Os animais são os nossos professores, exemplificando a natureza em equilíbrio. Uma das dificuldades no tratamento do trauma tem sido o foco indevido no conteúdo de um acontecimento que provocou o trauma. As pessoas que sofrem de trauma tendem a identificar-se como sobreviventes, em vez de animais com poder instintivo de cura. A habilidade do animal de reagir à ameaça pode servir de modelo para os humanos. Ela nos dá uma orientação que pode apontar o caminho para nossas capacidades inatas de cura. Precisamos dar atenção à nossa natureza animal se quisermos encontrar as estratégias instintivas necessárias para nos liberar dos efeitos debilitantes do trauma.

8. COMO A BIOLOGIA SE TRANSFORMA EM PATOLOGIA: CONGELAMENTO

O PALCO ESTÁ PREPARADO

Os sintomas do trauma formam um processo em espiral que começa com mecanismos biológicos primitivos. A resposta de imobilidade ou de congelamento, mecanismo de defesa invocado pelo cérebro reptiliano, está no centro desse processo.

O organismo pode lutar, fugir ou congelar-se em resposta à ameaça. Essas respostas compõem um sistema integrado de defesa. Quando as respostas de luta ou de fuga são impedidas, o organismo instintivamente se contrai ao passar para a última opção, a resposta de congelamento. À medida que se contrai, a energia que teria sido descarregada para executar as estratégias de luta ou de fuga é amplificada e retida no sistema nervoso. Nesse estado emocional ansioso, a resposta frustrada de luta se transforma em raiva; a resposta frustrada de fuga dá lugar à impotência. O indivíduo que entrou no estado caracterizado pela raiva ou pela impotência agora tem a possibilidade de passar repentinamente a uma resposta desesperada de fuga ou a um contra-ataque furioso. O trauma não ocorrerá se o organismo for capaz de descarregar a energia fugindo ou se defendendo, resolvendo desse modo a situação de ameaça.

Outro cenário possível é que a constrição continue até que a raiva, o terror e a impotência cheguem a um nível de ativação que sobrecarrega o sistema nervoso. Nesse ponto, a imobilidade ocorre, e o indivíduo congela ou desaba. O que acontece depois é que a energia intensa, congelada em vez de ser descarregada, fica atrelada aos estados emocionais extremamente ativados de terror, raiva e impotência.

PONHA A CULPA NO NEOCÓRTEX

Por que os seres humanos não entram e saem dessas diversas respostas tão naturalmente quanto os animais? Uma razão é porque o nosso neocórtex altamente desenvolvido (cérebro racional) é tão complexo e poderoso que, pelo medo e pelo controle exagerado, pode interferir nos impulsos e respostas instintivos sutis gerados pelo centro reptiliano. O neocórtex, em especial, sobrepõe-se facilmente a nossas respostas instintivas mais suaves — tais como aquelas que guiam a cura do trauma pela descarga de energia. Se o processo de descarga segue o próprio propósito, ele deve ser iniciado e conduzido pelos impulsos do cérebro reptiliano. O neocórtex precisa elaborar a informação instintiva, não controlá-la.

O neocórtex não é suficientemente poderoso para superar a resposta instintiva de defesa diante de uma ameaça ou um perigo — as respostas de luta, de fuga ou de congelamento. Nesse ponto, nós, humanos, ainda estamos inextrincavelmente ligados a nossa herança animal. Os animais, porém, não têm um neocórtex suficientemente desenvolvido que interfira na volta natural ao funcionamento normal por algum tipo de descarga. Nos humanos, o trauma ocorre em consequência da iniciação de um ciclo instintivo que não consegue chegar ao final. Permanecemos traumatizados quando o neocórtex supera as respostas instintivas que teriam iniciado a finalização desse ciclo.

MEDO E IMOBILIDADE

A duração da resposta de imobilidade nos animais costuma ter um limite de tempo; eles se congelam e se descongelam. A resposta de imobilidade humana não se resolve facilmente por causa da energia sobrecarregada presa no sistema nervoso pelas emoções do medo e do terror. O resultado é a formação de um círculo vicioso de medo e imobilidade, que impede que a resposta se complete naturalmente. Essas respostas, quando impedidas de se completarem, formam os sintomas do trauma. Assim como o terror e a raiva ocorrem no desencadear da resposta de congelamento, eles darão agora uma contribuição para que essa resposta se mantenha — mesmo que não exista mais nenhuma ameaça real presente.

Quando alguém se aproxima silenciosamente por trás de um pombo (enquanto ele está ciscando, por exemplo) e o pega com suavidade na mão, o pássaro congela. Se ele for virado de cabeça para baixo, permanecerá congelado nessa posição com os pés para cima, por vários minutos. Quando ele sair dessa espécie de estado de transe, vai acertar sua posição e pular ou voar, como se nada tivesse acontecido. Contudo, se o pombo se assustar com a aproximação da pessoa, ele lutará para escapar. Se for pego depois de uma luta desesperada e segurado à força, também cairá na imobilidade — mas o pássaro aterrorizado permanecerá congelado por um tempo muito maior do que na hipótese anterior. Ao sair do transe, estará num estado de agitação desesperada. Ele poderá agitar-se selvagemente, bicando quase todos os alvos possíveis, ou voar num impulso de movimento descoordenado. O medo estende e amplia em muito a imobilidade (isto é, a potencializa). Ele também transforma o processo de mobilização num acontecimento assustador.

"ELES SAEM DO JEITO QUE ENTRARAM"

Se estivermos extremamente ativados e aterrorizados ao entrar no estado de imobilidade, sairemos dele de modo semelhante. "Eles saem do jeito que entraram" é uma expressão que os médicos MASH[19] do exército usavam quando falavam a respeito de soldados feridos. Se um soldado vai para a cirurgia sentindo terror e pânico, ele pode sair abruptamente da anestesia num estado de desorientação desesperada. Biologicamente, ele está reagindo como um animal que luta pela vida depois de ter sido assustado e capturado. O impulso de atacar estando repleto de raiva atormentada ou de tentar uma fuga desesperada é biologicamente adequado. Se o predador ainda estiver presente

19. MASH é sigla de Mobile Army Surgical Hospital (Hospital Cirúrgico Móvel do Exército). [N. E.]

quando uma presa capturada sair da imobilidade, a sobrevivência da presa pode depender de uma agressão violenta.

De modo similar, quando mulheres que foram estupradas começam a sair do choque (em geral, meses ou até mesmo anos depois), com frequência, elas têm o impulso de matar seus agressores. Em alguns casos, elas podem ter a oportunidade de fazê-lo. Algumas delas são julgadas e condenadas por assassinato "premeditado" porque o lapso de tempo foi considerado premeditação. Algumas injustiças aconteceram por causa da falta de compreensão do drama biológico que talvez estivesse ocorrendo. É possível que diversas dessas mulheres tenham agido seguindo as respostas autoprotetoras profundas (e adiadas) da raiva e do contra-ataque que experienciaram ao sair da imobilidade agitada. Essas represálias podem ter sido motivadas biologicamente, e não ser necessariamente vinganças premeditadas. Alguns desses assassinatos poderiam ter sido evitados com um tratamento eficaz do choque pós-traumático.

Na ansiedade pós-traumática, a imobilidade é mantida sobretudo a partir do interior. O impulso em direção à agressão intensa é tão assustador que as pessoas traumatizadas, com frequência, se voltam para dentro de si mesmas em vez de permitir que esse impulso tenha uma expressão externa. Essa raiva implodida assume a forma da depressão ansiosa e dos diversos sintomas do estresse pós-traumático. As vítimas do trauma que estão começando a sair da imobilidade estão presas na armadilha de seu próprio medo da ativação abrupta e de seu potencial para a violência, assim como o pombo que tenta desesperadamente escapar, mas é recapturado e mantido preso mais uma vez. Essas pessoas permanecem presas num círculo vicioso de terror, raiva e imobilidade. Estão prontas para uma fuga completa ou para um contra-ataque raivoso, mas continuam inibidas pelo medo da violência que sentem em si mesmas e nos outros.

COMO A PRÓPRIA MORTE

No Capítulo 7, discutimos a vantagem biológica da resposta de imobilidade para as presas no mundo animal. Iludir um predador fazendo-o acreditar que sua presa já está morta funciona em grande parte das vezes. Contudo, o predador não é o único que responde à imobilidade como se a presa estivesse morta. A fisiologia do animal imobilizado age como se ele assim estivesse. De fato, os animais podem morrer de "overdose de resposta de imobilidade". O cérebro reptiliano tem o controle final sobre a vida e a morte. Se ele receber mensagens repetidas de que o animal está morto, pode concordar. Contudo, na maioria dos casos, o cérebro reptiliano não registra constantemente que o animal está morto, e assim não existem consequências sérias. O animal continua no estado de imobilidade por um determinado período e depois sai desse estado pela descarga de tremores. O ciclo se completa.

Como temos um cérebro extremamente desenvolvido, o processo de saída do estado de imobilidade se torna mais complicado. O medo de experienciar o terror, a raiva e a violência em relação a si mesmo ou aos outros ou o medo de ficar sobrecarregado pela energia descarregada no processo de imobilização faz que a resposta de imobilidade humana permaneça no lugar. Esses não são os únicos componentes que impedem que a resposta de congelamento se complete. O medo da morte é outro elemento. Nosso neocórtex nos informa que a imobilidade é sentida como a morte — experiência que os humanos evitam veementemente. Os animais não têm essa consciência impeditiva; para eles, vida e morte são parte de um sistema, uma questão puramente biológica. Nós, seres humanos, compreendemos o que a morte significa e a tememos. Evitamos a morte mesmo em nossos sonhos. Você já sonhou que estava caindo e acordou imediatamente antes de atingir o chão (ou a água etc.)? Já sonhou que estava sendo perseguido por alguém (ou por algo) que queria machucá-lo e acordou meio segundo antes do golpe fatal (punhalada, tiro etc.)? O fato de a resposta de imobilidade se parecer com a morte é ainda outra razão pela qual os humanos são incapazes de permanecer com a sensopercepção por um tempo suficientemente longo para que ela chegue ao seu término natural. Os humanos a temem e evitam completá-la. Como a maioria de nós tem uma baixa tolerância tanto a entrar quanto a sair da imobilidade, os sintomas do trauma são acumulados, mantidos e se tornam mais complexos.

Se nos permitíssemos experienciar a sensação de estar congelado, similar à morte, e se ao mesmo tempo desassociássemos o medo que a acompanha, seríamos capazes de passar pela imobilidade. Infelizmente, essas não são experiências que aceitam uma atitude de "cerrar os dentes e aguentar firme". O organismo segue as pistas referentes ao perigo presentes em sua experiência interna tão prontamente quanto as que vêm do exterior. À medida que a resposta de congelamento se transforma em terror, raiva ou experiência de morte, respondemos emocionalmente, assim como fizemos quando o fato aconteceu. O caminho para fora da imobilidade é experienciá-la gradualmente, com relativa segurança, pela sensopercepção. Lembre-se o tempo necessário para passar pela imobilidade é relativamente curto embora possa parecer deveras longo.

É UM EFEITO CUMULATIVO

Os sintomas pós-traumáticos não se desenvolvem do dia para a noite. São necessários meses para que a reação de congelamento se torne sintomática e crônica. Se soubermos o que fazer, teremos mais tempo para resolver as questões fisiológicas inacabadas de nossas reações a um acontecimento muito intenso antes que elas se enraízem como sintomas. A maioria de nós ou não sabe o que fazer, ou talvez nem percebe que há algo a ser feito. Inúmeras pessoas saem de acontecimentos muito intensos carregando uma grande porção indigesta de trauma não resolvido.

No nível fisiológico, cada experiência de congelamento e recongelamento que se segue é idêntica à experiência original, mas com uma diferença importante. A cada episódio de congelamento, a quantidade de energia invocada para lidar com a situação aumenta por causa dos efeitos cumulativos do recongelamento. A nova energia necessita da formação de mais sintomas. A resposta de imobilidade não só se torna crônica, como se intensifica. À medida que a energia congelada se acumula, o mesmo ocorre com os sintomas que estão tentando desesperadamente contê-la.

COMO A BIOLOGIA SE TRANSFORMA EM PATOLOGIA

Nosso organismo se mantém em funcionamento mesmo que grandes áreas de nosso neocórtex sejam destruídas, cirurgicamente ou por acidente. Contudo, um minúsculo "corte" no cérebro reptiliano, ou em qualquer das estruturas associadas a ele, pode alterar profundamente os padrões de comportamento animal ou humano. Um desequilíbrio extremo se refletirá em padrões alterados de sono, atividade, agressão, alimentação e sexualidade. Experimentos em laboratório mostram que alguns animais se tornam completamente imóveis ou excessivamente hiperativos. Eles podem comer demais ou de menos até o ponto de morrer ou não beberem água de forma voluntária. Por vezes, ficam tão obcecados com o sexo que são incapazes de satisfazer outras necessidades, ou o oposto, ficam tão desinteressados em sexo que não se acasalam nem se reproduzem. As mudanças que ocorrem são tão prejudiciais que o animal pode não sobreviver sob condições normais. Esses tipos de desadaptação surgem, ainda, ao se estimular eletricamente as partes primitivas do cérebro. Elas também são produzidas (embora não necessariamente no mesmo grau) pelo estresse pós-traumático.

Com relação ao trauma, a patologia implica o uso inadequado de qualquer atividade (fisiológica, comportamental, emocional ou mental) que deveria auxiliar o sistema nervoso a regular a energia ativada. A patologia (isto é, os sintomas) se torna, num certo sentido, a válvula de segurança do organismo. Essa válvula permite a saída de pressão suficiente para fazer que o sistema continue funcionando. Além da função de sobrevivência e do efeito analgésico, a resposta de imobilidade também tem uma função essencial na queda do circuito do sistema nervoso. Sem ela, o ser humano não conseguiria sobreviver à intensa ativação de uma situação séria e inescapável sem se arriscar a uma sobrecarga energética. É claro que até mesmo os sintomas que se desenvolvem a partir da resposta de congelamento podem ser considerados com apreço e gratidão se você levar em conta o que ocorreria caso o sistema não tivesse essa válvula de segurança. Na patologia, o organismo aciona a sensopercepção para experienciar qualquer pensamento, sentimento ou comportamento que possa ser usado em favor de manter bloqueada a energia mobilizada para a sobrevivência. As funções reguladas pelo cérebro reptiliano (como comer, dormir, acasalar e exercitar-se de modo geral) são um terreno amplo e fértil para que os sintomas se enraízem. Anorexia, insônia, promiscuidade e hiperatividade maníaca são apenas alguns dos sintomas possíveis quando as funções naturais do organismo ficam desreguladas.

9. COMO A PATOLOGIA SE TRANSFORMA EM BIOLOGIA: DESCONGELAMENTO

[...] energia é puro prazer.
— William Blake

A energia vulcânica do trauma, discutida no Capítulo 8, é presa pela associação ao medo e à imobilidade. A chave para mover-se pelo trauma é a dissociação da imobilidade (que em geral é limitada no tempo) e do medo associado a ela. Quando um animal assustado sai da imobilidade, ele o faz com uma intensa prontidão para o contra--ataque ou numa tentativa desesperada e indireta de fuga. Para o bem do animal, toda a energia que havia sido utilizada na luta ou na fuga desesperadas (antes de ele desabar ou congelar) reemerge explosivamente quando ele sai da imobilidade. Quando nós, humanos, começamos a emergir da imobilidade, com frequência somos tomados por ondas de emoção súbitas e fortes. Como essas ondas não são expressas como atos imediatamente, essa energia pode ficar associada a uma enorme quantidade de raiva e terror. O medo e o medo da violência contra si e contra os outros reativam a imobilidade, estendendo-a na forma de terror congelado, às vezes indefinidamente. Esse é o círculo vicioso do trauma.

NANCY REEXAMINADA: UM PRIMEIRO PASSO

Quando tentei ajudar Nancy a relaxar (Capítulo 2), ela começou a sair da reação de imobilidade que havia muito tempo a dominava. A ativação e as emoções de raiva e terror, que tinham sido mantidas bloqueadas durante a maior parte de sua vida, irromperam drasticamente. Nancy foi capaz (décadas depois) de dissociar a energia congelada e de completar uma resposta ativa de fuga, ao responder à imagem interna de um tigre que a atacava. Ao fugir do tigre imaginário, Nancy mobilizou uma resposta intensa e biologicamente adequada que lhe permitiu — no presente — descarregar a ativação aumentada que havia sido liberada à medida que sua imobilidade começou a soltar-se. Nancy fez uma escolha fisiológica ao substituir (naquele estado extremamente ativado) uma resposta de impotência por uma resposta ativa. Seu organismo estava aprendendo quase instantaneamente que não era obrigado a se congelar. O núcleo da reação traumática é, em última instância, fisiológico, e é nesse nível que a cura começa.

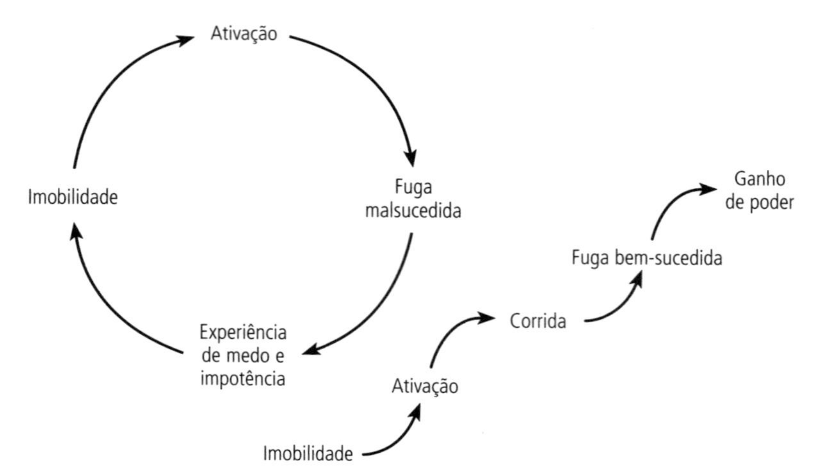

Figura 1. A biologia da transformação de Nancy

TUDO É ENERGIA

As forças subjacentes à resposta de imobilidade e às emoções traumáticas de terror, raiva e impotência são, em última instância, energias biológicas. O modo como as acessamos e integramos é o que determina se permaneceremos congelados e sobrecarregados ou se nos moveremos e descongelaremos. Muita coisa está acontecendo conosco. Com o apoio e a orientação adequados, podemos vencer nossos medos e nos mover conscientemente para fora da resposta do trauma, pelo uso pleno de nossa extrema capacidade de pensar e de perceber. Esse processo precisa ocorrer de maneira gradual, não de modo abrupto. Ao se trabalhar com expressões altamente catárticas e voláteis de raiva, terror e desamparo, é melhor dar um pequeno passo por vez.

Não importa quanto tempo tenha passado, o impulso para terminar a resposta de congelamento permanece ativo. O poder desse impulso se torna nosso maior aliado no trabalho com os sintomas do trauma quando aprendemos a utilizá-lo. O impulso é persistente. Mesmo que não façamos as coisas perfeitamente, ele sempre estará lá para nos dar outra oportunidade.

A surpreendente "cura" de Nancy deveu-se ao fato de que ela fugiu do tigre num momento crítico: no auge de seu ataque de pânico. Era como se Nancy tivesse uma chance única de escapar e se curar; do contrário, voltaria a cair num redemoinho de ansiedade e de impotência muito intenso. Nos anos que se seguiram à sessão com Nancy, comecei a montar o quebra-cabeça da cura do trauma. Descobri que a chave estava em ser capaz de trabalhar de modo gradual e suave com a imensa energia atrelada aos sintomas do trauma.

MARIUS: UM SEGUNDO PASSO

A descrição da odisseia de um jovem ilustra o refinamento das estratégias para curar o trauma. Marius é um jovem inuíte de 20 e poucos anos, franzino, inteligente, tímido e com aparência infantil que nasceu e foi criado numa aldeia remota na Groenlândia. Quando lhe perguntei se poderia transcrever sua sessão para este livro, garantindo-lhe que alteraria seu nome e sua identidade, seus olhos se arregalaram. Ele disse: "Não, por favor [...]. Seria uma honra, mas, por favor, use meu nome completo, de modo que, se minha família e meus amigos da aldeia lerem seu livro, saberão que é de mim que você está falando". Assim, esta é a história de Marius Inuusuttoq Kristensen.

Enquanto participava de um treinamento em Copenhague, Dinamarca, Marius falou sobre sua tendência a ficar ansioso e entrar em pânico, sobretudo quando estava com uma pessoa que admirasse e por quem desejasse ser aprovado. Essa ansiedade se manifestava em seu corpo como um enfraquecimento das pernas e uma dor intensa na lateral da perna direita, quase sempre acompanhada de ondas de náusea. Enquanto contava sua experiência, sua cabeça e seu rosto foram ficando muito quentes, ele começou a suar e enrubesceu. Ao falar sobre essas sensações, Marius relatou a seguinte história a respeito de um acontecimento ocorrido quando tinha 8 anos.

Ele estava voltando sozinho de uma caminhada nas montanhas quando foi atacado por uma matilha de três cães selvagens que o morderam na perna direita. Marius se lembra de sentir a mordida e de acordar nos braços de um vizinho; em seguida, lhe vem a imagem de seu pai aparecendo na porta, aborrecido com ele. Marius se sente amargo, raivoso e magoado pela rejeição paterna. Lembra-se sobretudo de que sua calça nova estava rasgada e coberta de sangue; ele está visivelmente perturbado enquanto descreve isso. Peço-lhe para dizer mais a respeito da calça. Tratava-se de uma surpresa feita pela mãe naquela manhã; ela havia feito a calça especialmente para ele com a pele de um urso polar. A experiência dele muda dramática e claramente para o prazer e o orgulho. Marius sente-se empolgado e move os braços para a frente como se estivesse sentindo a maciez da pele e se aquecendo com o calor da calça nova: "Esse é o tipo de calça que os homens da aldeia, os caçadores, usam".

Ele fica mais empolgado e a descreve em detalhes claros e vívidos.

Ele se imagina sentindo a calça com as mãos.

Eu pergunto: "Marius, você consegue sentir as suas pernas dentro da calça?"

"Sim, consigo sentir as minhas pernas, elas parecem muito fortes, como as dos homens quando estão caçando."

À medida que as imagens e as experiências de sensações corporais se desdobram, ele vê uma extensão rochosa. Peço-lhe que sinta a calça e depois olhe para as rochas.

"Minhas pernas querem pular; elas parecem leves, e não contraídas como habitualmente. Elas estão como molas, leves e fortes." Marius relata a imagem de uma vara comprida encostada numa rocha, e a pega.

Eu pergunto: "O que ela é?

"Uma lança."

Ele continua: "Estou seguindo um grande urso polar. Estou com os homens, mas sou eu quem vai matá-lo". (Movimentos muito pequenos podem ser vistos em seus músculos das coxas, da pelve e do tronco, quando ele imagina estar saltando de rocha em rocha, seguindo a trilha.) "Eu o vejo agora. Eu paro e miro com a lança."

Eu digo: "Sim. Sinta isso em todo o seu corpo, sinta os pés nas rochas, a força nas pernas e o movimento nas costas e nos braços, sinta todo esse poder". (Essa cena no "tempo onírico" ajuda a estimular seus comportamentos instintivo e agressivo que foram bloqueados quando ele foi sobrecarregado pelo ataque dos cachorros. Auxiliando as respostas predatórias é que ele conseguirá finalmente mobilizar os recursos para neutralizar o colapso de imobilidade/congelamento que ocorreu no momento do ataque.)

Ele diz: "Eu vejo a lança voando". De novo, notam-se pequenos ajustes posturais no corpo de Marius; os braços e as pernas estão tremendo levemente. Incentivo-o a sentir essas sensações. Ele relata ondas de animação e de prazer.

"Eu consegui. Eu o feri com a lança!"

Eu pergunto: "O que os homens estão fazendo agora?" (esperando evocar novamente os impulsos predatórios).

"Eles abrem a barriga do urso, tiram o que está dentro e então tiram a pele... para... fazer calças e casacos. E depois eles carregam a carne para a aldeia."

"Marius, sinta a calça com suas mãos sobre as pernas." Continuo lhe ajudando a criar um recurso com as sensações em suas pernas. Esses recursos vão aumentando com o tempo, ampliando gradualmente a possibilidade de fuga. (Lembre-se de que com Nancy foi um caso de tudo ou nada.)

Os olhos dele se enchem de lágrimas.

Eu pergunto: "Você consegue fazer isso?"

"Eu não sei... estou assustado."

"Sinta suas pernas, sinta a calça."

Ele grita dramaticamente em inuíte, num tom cada vez mais alto. "Sim, eu abro a barriga, há muito sangue... Eu tiro as entranhas. Agora eu corto a pele, eu a arranco, ela brilha. É uma bela pele, espessa e macia. Ela vai ficar muito quente."

Novamente o corpo de Marius estremece com tremores de animação, força e triunfo. A ativação é bastante intensa e visível por todo o seu corpo. Ela está alcançando um nível semelhante ao de quando o rapaz foi atacado pelos cachorros.

"Como você se sente, Marius?"

"Estou com um pouco de medo... Não sei se já senti alguma vez uma sensação tão forte... Acho que está tudo bem... na verdade, me sinto muito poderoso e cheio de energia. Acho que posso confiar nisso... eu não sei... é forte."

"Sinta suas pernas, seus pés, toque a calça com as mãos."

"Sim, eu me sinto mais calmo agora, não tão ansioso... com mais força."

"Sim, bom. Agora comece a voltar à aldeia." (Eu estou dirigindo um homem cheio de novos recursos para o momento traumático.)

Passam-se alguns minutos; o tronco de Marius se flexiona e ele fica imóvel. Seu coração acelera e seu rosto fica vermelho.

"Eu vejo os cachorros... eles estão vindo em minha direção."

"Sinta suas pernas, Marius, toque a calça", eu digo incisivamente. "Sinta suas pernas e olhe. O que está acontecendo?"

"Estou me virando, me virando para trás. Vejo os cachorros. Vejo um poste, um poste de eletricidade. Estou me virando para ele. Não sabia que me lembrava disso." Marius empalidece. "Estou ficando fraco."

Eu comando: "Sinta a calça, Marius, sinta a calça com as mãos".

"Estou correndo." A cor dele volta. "Consigo sentir minhas pernas... elas estão fortes, como no momento em que eu estava nas rochas." De novo ele empalidece e grita: "Ah!... Minhas pernas, queimam como fogo... Não consigo me mexer, estou tentando, mas não consigo me mexer... eu não posso... eu não consigo me mexer, ela está entorpecida agora... minha perna está entorpecida, eu não a sinto."

"Vire-se, Marius, vire-se para o cachorro. Olhe para ele."

Esse é o ponto crítico. Estendo um rolo de papel-toalha para Marius. Ele pode ser retraumatizado se congelar agora. Ele agarra o rolo e o estrangula enquanto os outros membros do grupo, inclusive eu, olham com grande surpresa para a força com que ele torce o rolo e quase o parte em dois.

"Agora o outro, olhe para ele... olhe diretamente nos olhos dele."

Dessa vez, ele solta gritos de raiva e de triunfo. Faço com que fique com suas sensações corporais por alguns minutos, integrando essa intensidade. Então peço-lhe que olhe novamente.

"O que você vê?"

"Eu os vejo... Eles estão mortos e ensanguentados." (Seu sucesso ao matar e eviscerar o urso polar imaginário o preparou para isso.)

Sua cabeça e seus olhos lentamente se viram para a direita.

"O que você vê?"

"Eu vejo o poste... há pinos nele."

"Tudo bem, sinta suas pernas, sinta a calça."

Estou prestes a lhe dizer que corra para que possa completar a resposta de corrida e fuga. Mas, antes que eu o faça, ele exclama: "Estou correndo... Consigo sentir minhas pernas, elas estão fortes como molas". Percebem-se agora ondulações rítmicas por sua calça, à medida que todo o seu corpo treme e vibra.

"Estou subindo... subindo... Eu os vejo embaixo... Eles estão mortos, e eu estou seguro." Ele começa a soluçar suavemente, e esperamos alguns minutos.

"O que você está experienciando agora?"

"Parece que estou sendo carregado por braços fortes; um homem está comigo nos braços, as mãos dele ao redor das minhas. Ele está me carregando nos braços. Eu me sinto seguro." Marius relata uma série de imagens de cercas e de casas na aldeia. (Ele soluça suavemente.)

"Ele está batendo na porta da casa da minha família. A porta se abre... meu pai... ele está muito perturbado, ele corre para pegar uma toalha... minha perna está sangrando muito... Minha calça está rasgada... Ele está muito perturbado... Ele não está bravo comigo, ele está muito preocupado. Dói, o sabão dói." Marius soluça agora em ondas plenas e suaves. "Dói. Mas estou chorando porque ele não está bravo comigo... percebo que ele estava perturbado e assustado. Sinto vibrações e tremores pelo corpo todo, é uniforme e quente. Ele me ama."

Marius continua a tremer suavemente; de súbito, seu corpo começa a suar. Eu lhe pergunto: "Qual é a sensação corporal que você tem agora que seu pai o ama?" Silêncio.

"Eu me sinto quente, muito quente e em paz. Eu não preciso chorar agora, eu estou bem, e ele só estava assustado. Não é que ele não me ame."

RENEGOCIAÇÃO

No início, a única imagem ou memória que Marius tinha do acontecimento era a calça ensanguentada, a carne rasgada e a rejeição do pai. Mas havia também aqui uma semente positiva de um núcleo de cura emergente, a calça de pele. A calça se transformou no fio que manteve unida a "renegociação" bem-sucedida do acontecimento traumático.

A imagem da calça rasgada e ensanguentada estava surgindo para Marius, e sua alegria também era evocada ao imaginar o presente recebido, a calça de pele. Ele estava extasiado por ser presenteado com seu primeiro símbolo de masculinidade. A caminhada nas montanhas fora uma iniciação, um rito de passagem. A calça era objeto de poder nessa "caminhada". Ao desejar "pular de alegria" no início da sessão, Marius ativou recursos na forma de padrões motores que foram essenciais para finalmente liberar sua resposta de congelamento.

A renegociação bem-sucedida do trauma ocorre quando os recursos adaptativos da pessoa aumentam junto com a ativação. Ao passar da periferia da experiência para o "núcleo do choque" congelado, seus padrões de congelamento não resolvidos são neutralizados por padrões flexíveis e passíveis de ser resolvidos à medida que a ativação aumenta.

Uma experiência de alegria se associou à vivência anterior de Marius de fracasso e rejeição, à medida que eu o encorajava a usar a experiência positiva inicial com a calça para se aproximar gradualmente do "núcleo do choque" congelado e traumático. Isso lhe trouxe novos recursos — agressão natural e competência. Os recursos de Marius começaram a se agrupar, armados com essa confiança recém-descoberta no momento em que ele viu a imagem das rochas. Seu processo criativo desenvolveu esses recursos para impelir seu movimento na direção do encontro com o desafio iminente, ao pular de rocha em rocha e encontrar e pegar a lança. Ele seguiu o urso polar imaginário enquanto eu seguia suas respostas corporais ao ser o agressor, como os caçadores. Marius encontrou recursos nessas imagens e nas sensações do poder ganho por suas pernas e na conexão com os homens da aldeia. É com esse senso de poder que ele vê a presa perigosa e a mata. Por fim, aproximando-se do êxtase, ele eviscera o urso imaginário. É muito importante que compreendamos que, mesmo sendo imaginária, por causa da sensopercepção, essa experiência era de todos os modos tão real para Marius quanto a original, isto é, era real mental, fisiológica e espiritualmente.

O teste verdadeiro aparece na próxima sequência de acontecimentos. Triunfante e com um novo poder, ele começa a voltar para a aldeia.

Sua consciência se expandiu. Pela primeira vez, vê e descreve a estrada e os cachorros. Antes, essas imagens não estavam disponíveis para ele; estavam reprimidas num tipo de amnésia. Ele nota que está orientando seus movimentos para se afastar do ataque dos cachorros e ir na direção do poste de eletricidade. Marius não é mais um prisioneiro da resposta de imobilidade depois de ter experienciado a força em suas pernas. Ele agora tem uma escolha. A energia tremulante de êxtase da matança é transformada na capacidade de correr. Esse é apenas o começo; ele consegue correr, mas ainda não consegue escapar! Eu lhe peço que volte e encare seus agressores de modo que não caia de volta na imobilidade. Dessa vez, ele contra-ataca, no início, com raiva e, depois, com o mesmo triunfo que havia experienciado na sequência anterior ao matar e eviscerar o urso. O plano foi bem-sucedido. Marius é agora um vitorioso, não é mais uma vítima do fracasso.

Contudo, a renegociação ainda está incompleta. Na próxima sequência, Marius se dirige para o poste e se prepara para correr. Ele iniciara essa ação anos atrás, mas até aquele momento não fora capaz de executá-la. Com os novos recursos, ele completa a fuga, correndo. Isso pode não fazer sentido em termos de tempo linear, pois ele já havia matado seus agressores. Porém, a sequência é completamente lógica para seus instintos. Ele agora completou a resposta de imobilidade que havia ficado congelada no tempo desde os seus 8 anos de idade. Um ano depois, voltei à Dinamarca e soube que Marius não sofria mais do tipo de ansiedade com que havíamos trabalhado. A renegociação tinha resultado em mudanças duradouras.

SOMATIC EXPERIENCING® (SE): RENEGOCIAÇÃO GRADATIVA

Existem vários elementos nessa renegociação "mítica" e no passo a passo do trauma de infância de Marius. Mais de mil sessões me ensinaram que a experiência de Marius era miticamente rica não porque era aborígene, mas porque é universalmente verdadeiro que a renegociação do trauma é uma jornada intrinsecamente mítica, poética e heroica. É uma jornada que pertence a todos nós porque somos animais humanos — mesmo aqueles que nunca pisaram fora da cidade. O processo de resolução do trauma pode nos levar além de nossos confinamentos sociais e culturais em direção a um maior senso de universalidade. A renegociação de Marius ocorreu mais aos poucos, se comparada à fuga repentina de Nancy diante do tigre imaginário. A SE é uma abordagem suave, passo a passo, para a renegociação do trauma. A sensopercepção é o veículo usado para contatar e mobilizar gradualmente as forças poderosas atreladas aos sintomas traumáticos. Isso equivale a retirar lentamente as camadas de uma cebola, revelando de modo cuidadoso o núcleo interno traumatizado. Uma compreensão técnica do desenvolvimento desses princípios está além do propósito deste livro.

É importante perceber que a cura do trauma demanda tempo. Pode haver momentos dramáticos e tocantes, bem como períodos graduais e corriqueiros no caminho da recuperação. Embora a cura de Marius tenha sido cheia de mito e de drama, a chave para resolver seu trauma estava no reconhecimento e na recuperação de sua linhagem como ser humano competente e cheio de recursos.

A jornada de cura de Marius é, por certo, uma inspiração para todos nós. Precisamos ter em mente que a semente de sua cura estava na descarga fisiológica da grande energia que havia sido retida em imobilidade. No caso de Marius, fomos capazes de encontrar juntos um modo de acessar e utilizar essa energia comprimida, e o fizemos em passos graduais.

Para cada um de nós, o domínio do trauma é uma jornada heroica que terá momentos de brilho criativo, de aprendizagem profunda, e períodos de trabalho árduo e tedioso. É o processo de encontrar para nós mesmos um modo seguro e gentil de sair da imobilidade sem ficarmos sobrecarregados. Parte desse processo pode ocorrer num fato condensado, como na única sessão de Marius. Outras partes do mesmo processo têm um final mais aberto e acontecem gradualmente no decorrer do tempo.

ELEMENTOS DE RENEGOCIAÇÃO

Ao examinar a história de Marius, é possível identificar os elementos essenciais para curar os efeitos do trauma. Quando começou a contar sua história, ele ficou preso na calça rasgada e ensanguentada e na rejeição do pai. Naquele momento, essa única imagem fixa continha o significado de todo o incidente. A condensação de todo um acontecimento numa única imagem é característica do trauma. Depois desse incidente, Marius passou a sentir-se fracassado, amargamente magoado e rejeitado. Durante a sessão, começou a experienciar uma mudança nesses sentimentos ao sentir as emoções que tinha ligado à imagem da calça rasgada e ensanguentada, sem tentar analisá-las nem controlá-las. Em vez de fracasso, mágoa e rejeição, a calça de pele se transformou num catalisador para uma base que inspirava sentimentos opostos. A vontade de pular de alegria está viva na imagem do presente dado pela mãe.

Por intermédio do contato com a sensopercepção, Marius foi capaz de encontrar uma pedra preciosa bruta no meio de sua dor e mágoa. Em vez de mergulhar na dor, pegou a pedra preciosa e começou a completar, como adulto, sua "caminhada" da infância em direção à masculinidade e à individuação. Ele deu um outro passo importante, para despertar o tigre, ao dissociar a animação e a alegria de viver do medo.

Na próxima sequência, Marius foi capaz de expandir e aprofundar sua empolgação. Sentindo a calça com as mãos e sentindo as pernas dentro da calça, ele começou a estabelecer um recurso profundo por meio da sensopercepção. É por essa conexão com nossa sensopercepção que somos guiados em nossos caminhos individuais em direção à transformação.

No amor, flutuamos sobre nossos pés; no trauma, nossas pernas são retiradas de baixo de nós. Marius se tornou ancorado em seu corpo e em seu mundo social ao restabelecer uma conexão com suas pernas à medida que se identificava com os caçadores na aldeia. Recuperar a nossa base é um passo importante na cura do trauma.

Marius desenvolveu uma sensopercepção de força e de flexibilidade ao ver a si mesmo andando nas montanhas e pulando nas rochas. Essa flexibilidade é a mola literal em nossas pernas. É também a flexibilidade, metaforicamente, que nos ajuda a nos reconectar depois do trauma e a passar por ele.

Depois, à medida que Marius seguia o urso imaginário e se preparava para matá-lo, mobilizou a agressão que havia perdido ao ser sobrecarregado na infância. A restauração da agressão é outra característica-chave para a cura dos efeitos do trauma. Ao recuperá-

-la, Marius tinha poder para dar os passos finais na resolução desse trauma. Ele transforma a emoção complexa da ansiedade em alegria e em controle triunfante por essa agressão recém-descoberta. Ao atingir o urso imaginário com a lança, ele deu uma resposta ativa que lhe garantiu a vitória; ele não é mais a criança derrotada. Marius renegociou seu trauma ao ser capaz, passo a passo, de substituir uma resposta de impotência e congelamento por outra, ativa e agressiva.

Nesse ponto da renegociação, vemos o estabelecimento de uma resposta ativa de fuga (correr), além da resposta de contra-ataque agressivo. Marius terminou a renegociação completando a resposta de orientação enquanto experienciava a subida no poste telefônico e olhava ao redor. Esse ato lhe permitiu dissociar o medo adicional e a empolgação de estar plenamente vivo. A renegociação ajuda a restaurar aqueles recursos que haviam sido diminuídos na esteira do trauma. A estratégia geral da renegociação é a seguinte: o primeiro passo é desenvolver uma familiaridade com a sensopercepção. Uma vez que isso esteja desenvolvido, entregamo-nos às correntes de nossas sensações, que incluem tremor e outras descargas espontâneas de energia.

Podemos usar a sensopercepção para dissociar a ligação não funcional entre excitação e medo. Uma vez que a excitação tem carga energética e desejamos manter essa carga livre e separada da ansiedade, também precisamos ser capazes de aterrá-la. A flexibilidade é o oposto da impotência. A árvore é forte e flexível por causa de seu sistema de raízes firmes na terra. Essas raízes retiram a nutrição do solo e ficam mais fortes. O *enraizamento* também permite que a árvore seja flexível de modo que possa suportar os ventos da mudança e não ser arrancada. *Flexibilidade* é a capacidade de se conectar com a terra e se desconectar dela de modo rítmico. Essa alegria de viver é uma forma dinâmica de enraizamento. A agressividade é a capacidade biológica de ser vigoroso e enérgico, sobretudo quando se está usando a força e o instinto. No estado imobilizado (traumatizado), essas energias de afirmação estão inacessíveis. A restauração da agressão saudável é fundamental na recuperação do trauma. O poder é a aceitação da autoridade pessoal. Ele vem da capacidade de escolher o sentido e a execução das próprias energias. A competência é a posse de técnicas refinadas ao lidar com a ameaça de modo bem-sucedido. A orientação é o processo de determinar a própria posição em relação à circunstância e ao ambiente. O resíduo do trauma é renegociado dessa maneira.

Como há ferimentos na vida, e a vida está constantemente se renovando, em cada um deles existe a semente da cura e da renovação. No momento em que nossa pele é cortada ou perfurada por um objeto estranho, uma magnífica e precisa série de processos bioquímicos é desencadeada harmonicamente pela sabedoria evolutiva. O corpo foi planejado para se renovar por meio da autocorreção contínua. Esses mesmos princípios se aplicam à cura da psique, do espírito e da alma.

PARTE II

SINTOMAS DO TRAUMA

10. O NÚCLEO DA REAÇÃO TRAUMÁTICA

ATIVAÇÃO — TUDO QUE SOBE TEM DE DESCER

Ficamos ativados quando percebemos o perigo ou sentimos que estamos sendo ameaçados. A ativação é a atividade que dá energia a nossas respostas de sobrevivência. Imagine que você está em pé na borda de um rochedo íngreme. Ao olhar para baixo, veja as pedras pontiagudas abaixo de você. Agora, observe o que está experienciando em seu corpo. Nessa situação, a maioria das pessoas ficará ativada de algum modo. Muitas experienciam uma onda de energia que pode ser percebida como um *flash* de calor ou como um aumento nos batimentos cardíacos. Você pode notar um aperto na garganta ou nos músculos do esfíncter. Outras se sentem estimuladas pela proximidade do perigo e consideram a situação desafiadora.

A maioria de nós gosta da excitação que sentimos com a ativação natural. Muitas pessoas buscam experiências "próximas da morte", como *bungee jumping*, paraquedismo e parapente, por causa da sensação eufórica que acompanha os estados extremos de ativação. Trabalhei e conversei com numerosos veteranos de guerra que lamentam não se sentir plenamente vivos desde o fim do calor da batalha. Os seres humanos anseiam pelos desafios da vida, e precisamos da ativação que nos dá energia para encarar e superar esses desafios. Um dos frutos do ciclo de ativação completo é uma profunda satisfação. O ciclo é assim: somos desafiados ou ameaçados e, então, ativados; a ativação chega ao máximo à medida que nos mobilizamos para encarar o desafio ou a ameaça; então, a ativação é diminuída ativamente, deixando-nos relaxados e satisfeitos.

As pessoas traumatizadas sentem profunda desconfiança do ciclo de ativação, em geral por uma boa razão. Isso acontece porque, para uma vítima de trauma, a ativação se associou à experiência avassaladora de estar imobilizado pelo medo. Por causa desse medo, a pessoa traumatizada impedirá que o ciclo de ativação se complete e permanecerá presa num ciclo de medo. A chave para as vítimas de trauma é se reacostumar com uma lei natural simples: tudo que sobe tem de descer. A cura do trauma começará quando conseguirmos confiar no ciclo de ativação e formos capazes de fluir com ele.

Alguns dos sinais mais comuns de ativação são:

- físicos — aumento dos batimentos cardíacos, respiração difícil (rápida, superficial, ofegante etc.), suores frios, tensão muscular latejante;
- mentais — aumento no volume de pensamentos, agitação mental, preocupação.

Se nos permitirmos reconhecer esses pensamentos e sensações usando a sensopercepção e deixarmos que sigam seu fluxo natural, eles atingirão o auge e, em seguida, começarão a diminuir e a se resolver. Podemos experienciar tremores, vibrações, ondas de calor, respiração acelerada, diminuição dos batimentos cardíacos, suores quentes, relaxamento muscular e uma sensação geral de alívio, conforto e segurança à medida que esse processo se desenvolve.

TRAUMA É TRAUMA, NÃO IMPORTA O QUE O CAUSOU

O trauma ocorre quando um acontecimento cria um impacto não resolvido no organismo. A resolução é alcançada ao se usar a sensopercepção para trabalhar esse impacto não resolvido. Reviver o acontecimento pode parecer útil, mas em geral não o é. Os sintomas traumáticos às vezes imitam ou recriam o acontecimento que os causou; porém, a cura demanda a capacidade de contatar o processo da resposta traumática.

O exercício a seguir o ajudará a entender por que a resposta do organismo a um acontecimento ameaçador é mais importante do que o acontecimento que a provocou. Ele não lida com o trauma em si, mas com a resposta fisiológica que inicia o potencial para o trauma. Esse exercício também ajuda a esclarecer qual é a sensação do trauma (que é semelhante em diversas pessoas), e nos mostra como identificá-la.

Exercício

Se você se sentir sobrecarregado ou profundamente perturbado em qualquer ponto deste exercício, por favor, pare. Ele pode ativar demais algumas pessoas. Sugiro que procure ajuda de um profissional qualificado se isso acontecer com você.

Para este exercício você vai precisar de lápis, papel e um relógio com mostrador digital ou ponteiro de segundos. (Se você não tiver um relógio assim, pode fazer o exercício sem ele.) Coloque o relógio onde você possa vê-lo e deixe lápis e papel à mão. Encontre uma posição confortável e contate sua sensopercepção. Focalize a atenção nos seus braços e pernas e observe a sensação de seu corpo apoiado no lugar em que está sentado; agora, inclua na sua percepção consciente quaisquer outras sensações que estiverem presentes — a sensação das roupas sobre sua pele, o peso do livro no seu colo etc. Você precisará dessa consciência para fazer o exercício.

Você pode continuar quando tiver formado uma impressão de como seu corpo está no nível da sensação. Faça o exercício passo a passo, de uma única vez, para obter o melhor resultado. Leia todo o exercício antes de fazê-lo. Mantenha-se em contato com suas sensações e pensamentos pela sensopercepção enquanto você lê e experiencia o exercício.

Parte 1: sente-se de modo confortável e faça de conta que está num avião que voa a nove mil metros de altura. Há alguma turbulência, mas nada fora do comum. Mantenha sua consciência tão envolvida quanto possível e focalize sua sensopercepção. Imagine que, de repente, você ouve uma forte explosão, seguida por um silêncio completo. Os motores do avião pararam. Como seu corpo responde?

Observe a resposta na sua respiração;
nas batidas de seu coração;
na temperatura das diversas partes de seu corpo;
nas vibrações e contrações musculares involuntárias e na intensidade de movimentos;
na sua postura geral;
nos seus olhos;
no seu pescoço;
na sua visão e audição;
nos seus músculos;
no seu abdome; e
nas suas pernas.
Faça uma breve anotação de suas respostas para cada um dos itens.
Anote a hora, usando minutos e segundos.
Respire profundamente e relaxe. Deixe que seu corpo retorne ao nível de conforto que você estava sentindo antes de começar o exercício. Concentre-se na sensopercepção desse conforto e, quando sentir que está pronto, passe para a próxima parte do exercício. Anote a hora, usando minutos e segundos.

Parte 2: visualize você sentado na porta da frente da casa de amigos, esperando eles chegarem. É um dia quente e o céu está claro. Você não está com pressa e sente-se à vontade para se reclinar e desfrutar do dia enquanto espera por eles. De repente, um homem, que você tinha visto andando na rua, começa a correr na sua direção, gritando e apontando um revólver. Como seu corpo reage?
Termine o exercício de maneira igual à Parte 1.

Parte 3: faça de conta que está dirigindo um carro na estrada. O trânsito não está ruim, mas ainda faltam uns vinte minutos para chegar a seu destino. Você resolve ouvir música. Você acabou de estender a mão para o rádio quando uma caminhonete cruza a ilha que divide as pistas e vem na sua direção. Como seu corpo reage? Termine o exercício do mesmo modo que nas partes anteriores.

Parte 4: compare as respostas que deu nas três primeiras partes do exercício. Qual a semelhança entre as respostas para cada um dos três cenários?

O que é diferente?

Está mais fácil relaxar agora?

Anote o tempo que você levou para relaxar depois de cada exercício.

A maioria das pessoas dará respostas semelhantes a todos os três cenários. Qualquer acontecimento potencialmente traumatizante, real ou imaginário, resulta em algumas respostas fisiológicas que variam em intensidade de pessoa para pessoa. Essa resposta é um fenômeno genérico presente em todo o reino animal. Se você achou difícil controlar sua ativação, abra os olhos e focalize algum aspecto (agradável) do ambiente. A ativação e as outras mudanças fisiológicas que marcam as respostas de humanos ou de animais a um acontecimento perigoso serão essencialmente as mesmas, sempre que eles não tiverem os recursos necessários para lidar com esse acontecimento. Como todos experienciam do mesmo modo os estágios iniciais do trauma, você pode aprender a reconhecer essa experiência, da mesma forma que o exercício acima lhe ensinou a reconhecer a resposta inicial ao perigo. Mais uma vez, a sensopercepção é o lugar em que devemos procurar essas semelhanças. Como elas se registram no seu corpo?

O NÚCLEO DA REAÇÃO TRAUMÁTICA

Existem quatro componentes do trauma que sempre estarão presentes em algum grau em qualquer pessoa traumatizada:

1. hiperativação;
2. constrição;
3. dissociação;
4. congelamento (imobilidade), associado à sensação de impotência.

Juntos, esses componentes formam o núcleo da reação traumática. Eles são os primeiros a aparecer quando ocorre um fato traumático. Todos nós vivenciamos esses componentes como respostas normais no decorrer da vida. Porém, quando aparecem juntos durante um período prolongado, são uma indicação quase certa de que experienciamos um fato que nos deixou com um resíduo traumático não resolvido.

Quando aprendemos a reconhecer esses quatro componentes da reação traumática, estamos prontos para reconhecer o trauma. Todos os outros sintomas se desenvolvem a partir desses quatro componentes, caso a energia defensiva que foi mobilizada para responder a um acontecimento traumático não tenha sido descarregada nem integrada num período de alguns dias, semanas ou meses após a experiência.

HIPERATIVAÇÃO

A maioria das pessoas experiencia sintomas como aumento dos batimentos cardíacos, respiração acelerada, agitação, dificuldade para dormir, tensão, tremores musculares, agitação mental ou crises de ansiedade em momentos de conflito ou de estresse. Esses sinais normalmente são causados por alguma forma de hiperativação, embora isso nem sempre seja indicativo de sintomas traumáticos. Se a hiperativação, a constrição, a dissociação e um senso de impotência formam o núcleo da reação traumática, a hiperativação é a semente desse núcleo.

Se você refletir sobre o exercício anterior, perceberá que ele invocou pelo menos uma versão suave de hiperativação. Sempre que essa ativação interna ampliada ocorre, é sobretudo uma indicação de que o corpo está invocando seus recursos energéticos para se mobilizar contra uma ameaça potencial. Quando a situação é suficientemente séria para ameaçar a própria sobrevivência do organismo, a quantidade de energia mobilizada será muito maior do que a mobilizada em qualquer outra situação de vida. Infelizmente, mesmo que saibamos que precisamos descarregar a energia ativada, nem sempre é fácil fazê-lo. A hiperativação não pode ser controlada de forma voluntária, como acontece também com diversos processos instintivos. O exercício a seguir é um modo simples de confirmar isso experiencialmente.

Exercício

Nas três situações experienciadas no último exercício, você imaginou ou criou as respostas em seu corpo, ou elas foram produzidas como uma reação involuntária às situações que você imaginou?

Em outras palavras, você fez que elas acontecessem ou elas aconteceram por si mesmas?

Agora tente deliberadamente fazer que seu corpo tenha uma resposta semelhante sem imaginar uma situação ameaçadora. Use uma abordagem direta e veja se consegue fazer que seu corpo produza respostas similares àquelas que você experienciou nas três situações:

nos seus olhos;
na sua postura;
nos seus músculos; e
no seu nível de ativação.

Agora experimente fazer ao mesmo tempo todas as partes da experiência.

O que é semelhante entre a sua experiência ao realizar este exercício e a anterior? O que é diferente?

A maioria das pessoas, quando faz este exercício, consegue duplicar em algum grau a postura física, as contrações musculares e os movimentos que acompanham a hiperativação, embora geralmente não obtenham o mesmo nível de coordenação e de sincronicidade que acompanha a experiência real. A ativação interna ampliada tem uma probabilidade muito maior de ocorrer se você fizer todas as partes da resposta física ao mesmo tempo, não uma por vez. Mas até mesmo fazer uma por vez é mais eficaz do que dizer: "Sistema nervoso, fique hiperativado". Muitas pessoas não conseguirão mobilizar o mesmo nível de ativação ao usar esse tipo de abordagem direta e deliberada. Simplesmente não funciona. A hiperativação é a resposta que o sistema nervoso dá à ameaça, quer ela seja interna, externa, real ou imaginada.

Em curto prazo, os outros três componentes que fazem parte do núcleo da reação traumática — constrição, dissociação e impotência — atuam para proteger o organismo. Essas funções naturais nos defendem da ameaça externa que deu início à resposta de ativação e também da ameaça interna que se desenvolve quando a energia ativada não é usada para a defesa ativa. Os sintomas de trauma começam a se desenvolver como soluções a curto prazo para o dilema da energia não descarregada. Quando eles se desenvolvem, a constelação de sintomas é organizada ao redor de um tema dominante. Não é surpresa que esses temas sejam a constrição, a dissociação e a impotência.

CONSTRIÇÃO

Examine suas anotações do primeiro exercício deste capítulo. Quantas das respostas corporais indicam alguma forma de constrição, tensão ou contração?

Em termos corporais, a constrição é um fenômeno sistêmico. Ela domina a nossa experiência inicial de ameaça, afetando essencialmente todas as funções e partes do corpo.

Quando respondemos a uma situação que ameaça a vida, a hiperativação é inicialmente acompanhada pela constrição em nosso corpo e em nossas percepções. O sistema nervoso age para assegurar que todos os nossos esforços estejam concentrados na ameaça, do melhor modo possível. A constrição altera a respiração, o tônus muscular e a postura. Os vasos sanguíneos na pele, nas extremidades e nas vísceras se contraem de modo que haja mais sangue disponível para os músculos que estão tensionados e preparados para assumir uma ação defensiva.

A percepção consciente do ambiente também se contrai para que toda a nossa atenção seja dirigida à ameaça. Essa é uma forma de hipervigilância. Transeuntes que enxergam de repente uma cascavel enrolada no caminho à sua frente não ouvirão o murmurar do riacho, nem os pássaros cantando nas árvores. Não perceberão as delicadas flores silvestres, nem os padrões intrincados dos líquens numa pedra, nem estarão preocupados com o que vão comer no almoço ou se estão tomando muito sol. Nesse momento, sua atenção estará completamente concentrada na cobra. Todos ouvimos histórias de pessoas que são capazes de realizar feitos de coragem e de força extraordinários em horas difíceis. A mulher que é capaz de levantar o carro que caiu sobre o filho adolescente enquanto ele trocava o óleo está usando a energia mobilizada pelo sistema nervoso para ajudá-la a encarar e a lidar de modo bem-sucedido com essa situação potencialmente ameaçadora à vida. A hiperativação e a constrição cooperam para torná-la capaz de realizar uma tarefa que ela nunca conseguiria executar em condições normais. Se ficasse sobrecarregada e permanecesse inativa no estado hiperativado e constrito, parte dessa energia não resolvida seria canalizada para uma hiperativação contínua. O resto seria usado para manter a constrição e uma multiplicidade de sintomas traumáticos mais complexos, mas organizados de modo similar, por exemplo, hipervigilância crônica, crises de ansiedade ou de pânico ou visões de imagens invasivas (*flashbacks*, visualizações aterrorizantes).

Quando a constrição não consegue focalizar suficientemente a energia do organismo para se defender, o sistema nervoso evoca outros mecanismos para conter a hiperativação, como o congelamento e a dissociação. A constrição, a dissociação e o congelamento formam o conjunto de respostas que o sistema nervoso usa para lidar com um cenário no qual precisamos nos defender, mas não podemos fazê-lo.

DISSOCIAÇÃO

Eu não tenho medo de morrer. Eu apenas não quero estar lá quando isso acontecer.

— Woody Allen

Com essa frase humorística, Woody Allen dá uma descrição bastante precisa do papel desempenhado pela dissociação — primeiro, ela nos protege do impacto da ativação crescente. Se um acontecimento que ameaça a vida continua, a dissociação nos protege da dor da morte. O explorador David Livingstone registrou em seu diário este encontro com um leão nas planícies da África:

> Ouvi um rugido. Surpreso, olhei ao meu redor e vi um leão prestes a saltar sobre mim. Eu estava sobre uma pequena elevação; ele atingiu meu ombro ao saltar, e nós dois caímos juntos. Rosnando horrivelmente perto do meu ouvido, ele me aterrorizou do mesmo modo que um *terrier* faz com um rato. O choque produziu um estupor semelhante ao que parece ser sentido por um camundongo depois da primeira sacudida do gato. *Ele causou um tipo de devaneio no qual não havia nenhum senso de dor nem sentimento de terror. Era parecido com o que é descrito pelos pacientes que estão parcialmente sob a influência do clorofórmio: eles veem toda a operação, mas não sentem o bisturi. Essa condição singular não foi resultado de nenhum processo mental. A sacudida aniquila o medo e não permite nenhum senso de horror ao olhar para a fera. Esse estado peculiar provavelmente é produzido em todos os animais mortos pelo carnívoro; e, se for assim, é uma providência misericordiosa de nosso benevolente criador para diminuir a dor da morte.* [grifos meus]

O melhor modo de definir dissociação é pela experiência. Em suas formas suaves, ela se manifesta como uma espécie de devaneio. No ponto oposto do espectro, ela pode se transformar no chamado transtorno dissociativo de identidade. A dissociação quase sempre inclui distorções de tempo e de percepção, pois é uma quebra na continuidade de nossa sensopercepção. Uma variedade suave desse sintoma é responsável pela experiência que muitas pessoas têm quando estão dirigindo de volta para casa depois de saírem da loja da esquina; de repente, descobrem que estão chegando em casa sem ter nenhuma lembrança de como chegaram até lá — a última coisa de que se lembram é de terem se afastado da loja. A dissociação também atua quando colocamos nossas chaves "em algum lugar" e depois não conseguimos lembrar onde. Nesse momentos, podemos reconhecer tacitamente a ausência momentânea da sensopercepção ao nos referirmos a nós mesmos ou a outros como tendo estado "no mundo da lua" ou "viajando". Em outras palavras, fora do corpo. Essas são algumas das formas que a dissociação assume em nossa vida cotidiana. Ela entra em nossa experiência especificamente quando confrontamos situações que ameaçam a vida. Imagine que você está dirigindo seu carro e fazendo uma curva fechada numa estrada estreita na montanha. De repente, precisa desviar para evitar uma colisão frontal com um caminhão que vem direto na sua direção. Você observa as imagens passando em câmera lenta, enquanto derrapa na direção do acostamento estreito. E, então, com calma e destemor, percebe que está olhando para alguém ao lado em vez de confrontar sua própria morte.

Do mesmo modo, a mulher que está sendo estuprada, o soldado que enfrenta o fogo inimigo ou a vítima de um acidente podem vivenciar uma desconexão fundamental de seu corpo. Uma criança pode sentar-se no canto do teto, observando a si mesma sendo molestada, e sentir-se triste ou neutra distante da criança indefesa abaixo. A dissociação é um dos sintomas mais clássicos e sutis do trauma. É também um dos mais misteriosos. É mais fácil explicar a experiência da dissociação ou o papel que desempenha do que o mecanismo pelo qual ela ocorre. No trauma, a dissociação parece ser o meio predileto de capacitar alguém a suportar experiências que estão além da possibilidade de ser suportadas no momento em que acontecem — como ser atacado por um leão, um estuprador, um carro ou pelo bisturi de um cirurgião. A dissociação se torna crônica e se desenvolve em sintomas mais complexos quando a energia hiperativada não é descarregada.

Pessoas que foram repetidamente traumatizadas quando eram pequenas, com frequência, adotam a dissociação como modo predileto de estar no mundo. Elas dissociam fácil e habitualmente sem ter consciência disso. Mesmo aquelas que em geral não dissociam vão dissociar quando ativadas ou quando começarem a acessar imagens ou sensações traumáticas desconfortáveis. Nesses dois casos, a dissociação tem um papel importante: ajuda a manter a energia da hiperativação não descarregada desconectada da plenitude de nossa experiência. Ao mesmo tempo, interrompe a continuidade da sensopercepção e, assim, impede que as pessoas traumatizadas trabalhem efetivamente na resolução de seus sintomas traumáticos. A questão não é eliminar a dissociação, mas aumentar a própria consciência a respeito dela.

Exercício

Para ter uma ideia de qual é a sensação da dissociação, sente-se confortavelmente numa cadeira e imagine que você está deitado num barco inflável que está flutuando num lago. Sinta-se flutuando e, então, deixe-se levar suavemente para fora de seu corpo. Flutue, subindo ao céu como um balão que sobe devagar, e se observe lá embaixo.

Qual é a sensação dessa experiência?

O que acontece quando você tenta sentir seu corpo?

Alterne mais algumas vezes entre seu corpo e a sensação de flutuar, para ter uma impressão de como é a dissociação.

Algumas pessoas têm facilidade para fazer esse exercício, enquanto outras o consideram muito difícil. Como vimos, os sintomas do trauma podem estar organizados ao redor da constrição ou da dissociação. Não é de se admirar que as pessoas que têm sintomas dissociativos considerem os exercícios dissociativos mais fáceis do que aquelas que tendem para a constrição. Se você achou o exercício de flutuação difícil, experimente o exercício seguinte — ele pode ser mais fácil.

Exercício

Sente-se confortavelmente numa cadeira que apoie bem seu corpo. Comece o exercício pensando num lugar onde você realmente gostaria de passar férias — bem longas, com todas as despesas pagas. Serão ótimas férias; assim, assegure-se de ter revisto mentalmente a geografia do lugar. Agora imagine o que alegrará seu coração.

Divirta-se... Aproveite...

Logo antes de estar pronto para voltar, responda a esta pergunta: onde você está?

Provavelmente você escolheu seu destino de férias predileto. Não é provável que diga que está no seu corpo. Quando você não está no seu corpo, está dissociado. Parabéns.

Faça novamente o exercício para reforçar sua capacidade de reconhecer a dissociação quando ela acontece. Lembre-se, esses exercícios não pretendem impedir que a dissociação aconteça. A questão é ser capaz de reconhecê-la quando ela estiver acontecendo. É possível estar dissociado e ao mesmo tempo consciente do que está acontecendo ao seu redor. Essa consciência dupla é importante para iniciar o processo de cura e de reassociação. Se você se sente resistente a aprender a respeito dessa consciência dupla, seu organismo pode estar lhe enviando um sinal de que a dissociação tem papel importante na organização de seus sintomas traumáticos. Se você sente resistência, respeite-a e vá devagar. De vez em quando, lembre-se de que a consciência dupla é possível, e tente mais vezes.

A dissociação, conforme é apresentada aqui, acontece de modos diversos, mas, em comum, eles têm uma desconexão fundamental entre a pessoa e o corpo, ou uma parte do corpo, ou uma parte da experiência. Pode ocorrer uma cisão entre:

1. a consciência e o corpo;
2. uma parte do corpo, como a cabeça ou os membros, e o resto do corpo;
3. o eu e as emoções, pensamentos ou sensações; e
4. o eu e a memória de parte ou de todo o acontecimento.

O modo como a dissociação ocorre influencia o modo como os sintomas mais complexos se desenvolvem. Além disso, parece haver evidências de que o uso da dissociação como resposta ao trauma é influenciado tanto pela genética quanto pela estrutura da personalidade.

Os devaneios e o esquecimento estão entre os sintomas mais óbvios ligados à dissociação. Porém, há outros sintomas que são mais difíceis de se reconhecer como originários da dissociação. Entre eles, estão os seguintes:

Negação. É, provavelmente, uma forma de dissociação de baixo nível de energia. A desconexão ocorre entre a pessoa e a memória, ou os sentimentos, sobre um acontecimento específico (ou uma série de acontecimentos). Negamos que um fato aconteceu ou agimos como se ele não tivesse importância. Por exemplo, quando alguém que amamos morre, ou quando somos feridos e violados, podemos agir como se nada tivesse acontecido porque as emoções que surgiriam se reconhecêssemos a situação seriam dolorosas demais. Então, somos consumidos repentinamente por uma emoção intensa. A negação dá lugar ao medo, à raiva, à tristeza ou à vergonha, permitindo que esses sentimentos sejam novamente integrados e que a energia que estava presa pela negação seja liberada. Entretanto, a negação pode se tornar crônica quando a energia presa é demasiada e os sentimentos são dolorosos demais. A negação se transforma na insistência "gravada em pedra" de que um fato nunca aconteceu.

Indisposições físicas. Costumam resultar de dissociação parcial ou fragmentada, na qual uma parte do corpo está sem contato com as outras partes. Uma desconexão entre a cabeça e o resto do corpo pode causar dores de cabeça. A síndrome pré-menstrual pode ser resultado da desconexão entre os órgãos da região pélvica e o resto do corpo. Do mesmo modo, sintomas gastrointestinais (por exemplo, síndrome do intestino irritável), problemas constantes nas costas e dor crônica podem resultar de dissociação parcial combinada com constrição.

IMPOTÊNCIA

A impotência está intimamente relacionada com a resposta biológica primitiva, universal, a uma ameaça aterrorizante — a resposta de congelamento. Se a hiperativação é o acelerador do sistema nervoso, o senso de impotência esmagadora é o freio. Quem leu *Watership Down*[20]

20. Em português: *A longa jornada*. Rio de Janeiro: Nova Fronteira, 1976. [N. E.]

deve se lembrar do modo como os coelhos congelavam quando viam as luzes que vinham em sua direção no escuro. Essa é a resposta de congelamento; na história, os coelhos a chamavam de *thorn*.

Num automóvel, o acelerador e o freio são projetados para funcionar em momentos diferentes. Mas, na reação traumática, o freio e o acelerador funcionam juntos. O sistema nervoso só reconhece que a ameaça acabou quando a energia mobilizada é liberada. Assim, ele continuará mobilizando energia indefinidamente até que a descarga ocorra. Ao mesmo tempo, o sistema nervoso reconhece que a quantidade de energia no sistema é superior àquela que pode ser suportada pelo corpo e aperta um freio tão poderoso que todo o organismo para imediatamente. Com o organismo completamente imobilizado, a tremenda energia no sistema nervoso é mantida presa.

A impotência experienciada nesses momentos não é a sensação comum de impotência que pode afetar qualquer pessoa de vez em quando. A sensação de estar completamente imobilizado e impotente não é uma percepção, crença ou fantasia. Ela é real. O corpo não consegue se mexer. É um sentimento horrível — uma sensação tão profunda de paralisia que a pessoa não consegue gritar, mexer-se e nem sentir. Dos quatro componentes que formam o núcleo da reação traumática, a impotência é a menos provável de você ter experienciado, a menos que tenha passado por uma ameaça atemorizante na vida. Ainda assim, esse profundo senso de impotência está quase sempre presente nos estágios iniciais de "sobrecarga" resultante de um fato traumático.

Você pode ser capaz de identificar uma versão muito suave da impotência, se examinar bem suas reações aos três cenários do exercício no início deste capítulo. O efeito da impotência é drasticamente amplificado quando o fato é real e se manifesta de forma verdadeiramente desastrosa. Mais tarde, quando a ameaça acaba, os efeitos da impotência e da imobilização intensas desaparecem gradualmente, mas não por completo. Um eco dessa sensação de estar congelado permanece conosco quando somos traumatizados.

A impotência é um reflexo claro dos processos fisiológicos que ocorrem no corpo, assim como a hiperativação e a constrição. Quando nosso sistema nervoso passa para um estado ativado em resposta a um perigo, e não podemos nos defender nem fugir, a próxima estratégia empregada é a imobilização. Quase todas as criaturas vivas têm essa resposta primitiva gravada em seu repertório de estratégias defensivas. Nos próximos capítulos, voltaremos por diversas vezes a essa resposta intrigante. Ela tem papel fundamental tanto no desenvolvimento quanto na transformação do trauma.

E ENTÃO HOUVE O TRAUMA

A hiperativação, a constrição, a impotência e a dissociação são todas respostas normais à ameaça. E, assim, nem sempre elas terminam como sintomas traumáticos. Os sintomas só se desenvolvem quando elas são crônicas e habituais. Ao se tornarem permanentes, essas reações ao estresse formam a base e o combustível para o desenvolvimento de sintomas subsequentes. Depois de alguns meses, tais sintomas do núcleo da reação traumática começam a incorporar características mentais e psicológicas à sua dinâmica, até que finalmente acabam por atingir todos os aspectos da vida da pessoa que sofre de trauma. Em resumo, as apostas e os riscos são altos no trauma. Idealmente, os exercícios neste capítulo, junto com outras experiências que você já tenha tido, podem ajudá-lo a identificar qual é a sensação dessas reações. Ao se tornarem crônicas, a hiperativação, a constrição, a impotência e a dissociação produzem uma ansiedade tão intensa que beira o insuportável. Por fim, os sintomas se aglutinam numa ansiedade traumática, estado que permeia todos os momentos em que a pessoa traumatizada está acordada (e dormindo).

Os sintomas que formam o núcleo da reação traumática são o modo mais seguro de saber que o trauma aconteceu — se você for capaz de reconhecer essa sensação. Alguma combinação desses quatro componentes do núcleo da reação traumática sempre estará presente, à medida que o grupo de sintomas fica cada vez mais complexo. Quando você consegue reconhecê-los, esses componentes o ajudam a distinguir os sintomas causados pelo trauma dos que não o são.

11. SINTOMAS DO TRAUMA

Quando nosso sistema nervoso nos prepara para enfrentar o perigo, passa a funcionar em estados de alta energia. Ele voltará ao nível normal de funcionamento se pudermos descarregar essa energia enquanto nos defendemos ativa e efetivamente da ameaça (ou logo depois do fato ameaçador). Nossa sensopercepção será de inteireza, satisfação e heroísmo. Se não formos bem-sucedidos ao lidar com a ameaça, a energia permanecerá em nosso corpo. Assim, criamos um dilema autoperpetuante. Em nível fisiológico, nosso corpo e mente trabalham juntos como um sistema integrado. Sabemos que estamos em perigo quando percebemos uma ameaça externa e nosso sistema nervoso fica muito ativado.

A percepção de uma ameaça real sinaliza o perigo, e o mesmo ocorre com o estado ativado (mesmo sem a percepção). Você recebe a mensagem de que está em perigo não só por meio daquilo que realmente vê (mesmo perifericamente), mas também pelas sensações que vêm da experiência visceral inconsciente de seu estado fisiológico. A pessoa ameaçadora que vem na sua direção sinaliza o perigo, mas o mesmo acontece com o fato de seu corpo estar respondendo com um aumento dos batimentos cardíacos, uma tensão nos músculos do estômago, uma percepção consciente mais intensa e mais constrita de seu ambiente imediato e um tônus muscular alterado (em geral). Quando a energia desse estado altamente ativado não é descarregada, o organismo conclui que ainda está em perigo. O efeito dessa percepção sobre o organismo é que ela continua a estimular o sistema nervoso para sustentar e aumentar o nível de preparação e de ativação.

Quando isso acontece, começam os sintomas debilitantes do trauma. O sistema nervoso ativa todos os seus mecanismos fisiológicos bioquímicos para lidar com a ameaça, mas não consegue sustentar esse nível elevado de ativação sem a oportunidade ou os meios para responder efetivamente. O sistema nervoso é incapaz de descarregar a energia sozinho. Isso cria um ciclo de ativação autoperpetuante que sobrecarrega o sistema se continuar indefinidamente. O organismo precisa encontrar um modo de sair do ciclo criado pela percepção do perigo e da ativação que o acompanha e restabelecer o equilíbrio. O fracasso nessa tarefa leva à patologia e ao enfraquecimento, à medida que o organismo compensa seu estado ativado pelas manifestações que, agora, são reconhecidas como sintomas do trauma.

SINTOMAS DO TRAUMA

O sistema nervoso compensa o fato de estar num estado de ativação autoperpetuada desenvolvendo uma série de adaptações que finalmente aglutina e organiza a energia em "sintomas". Essas adaptações funcionam como uma válvula de segurança para o sistema nervoso. Os primeiros sintomas do trauma costumam aparecer logo depois do fato que os causou. Outros se desenvolvem com o passar do tempo. Como vimos, os sintomas do trauma são fenômenos energéticos que ajudam o organismo, ao lhe proporcionar um modo organizado para administrar e aglutinar a tremenda energia contida tanto na resposta original à ameaça quanto na resposta autoperpetuada.

Fazer uma lista completa de todos os sintomas de trauma conhecidos seria uma tarefa impossível, por causa da singularidade da experiência de cada indivíduo. Contudo, existem sintomas que são uma indicação de trauma porque são comuns à maioria das pessoas traumatizadas. O sistema nervoso parece preferir alguns sintomas, apesar do grande número de possibilidades.

De modo geral, alguns sintomas costumam aparecer primeiro. No capítulo anterior, discutimos os primeiros sintomas que se desenvolvem (o núcleo da reação traumática):

- hiperativação;
- constrição;
- dissociação (inclusive negação) e
- sentimento de impotência.

Outros sintomas iniciais que começam a aparecer ao mesmo tempo ou logo depois dos mencionados são:

- vigilância exagerada (estar "de prontidão" o tempo todo);
- imagens invasivas ou *flashbacks*;
- sensibilidade extrema à luz e ao som;
- hiperatividade;
- respostas emocionais e de susto exageradas;
- pesadelos e terrores noturnos;
- mudanças repentinas de humor, por exemplo, reações de fúria ou acessos de raiva ou de vergonha;
- diminuição da capacidade de lidar com o estresse (fica estressado facilmente e com frequência); e
- dificuldade para dormir.

Vários desses sintomas podem aparecer também na fase de desenvolvimento seguinte, bem como na última. A lista não tem propósitos de diagnóstico; é um guia para ajudá-lo a sentir como os sintomas do trauma se comportam. Os sintomas que ocorrem na próxima fase de desenvolvimento incluem:

- ataques de pânico, ansiedade e fobias;
- "branco" mental ou "devaneios";
- resposta de susto exagerada;
- sensibilidade extrema à luz e ao som;
- hiperatividade;
- reações emocionais exageradas;
- pesadelos e terrores noturnos;
- comportamentos de aversão (evitar determinadas circunstâncias);

- atração por situações perigosas;
- choro frequente;
- mudanças repentinas de humor, por exemplo, reações de fúria ou acessos de raiva ou vergonha;
- atividade sexual exagerada ou diminuída;
- amnésia e esquecimento;
- incapacidade de amar, de cuidar ou de se ligar a outras pessoas;
- medo de morrer, de ficar louco ou de ter uma vida curta;
- diminuição da capacidade de lidar com o estresse (fica estressado facilmente e com frequência); e
- dificuldade para dormir.

O grupo final de sintomas inclui aqueles que costumam demorar mais para se desenvolver. Na maioria dos casos, foram precedidos por alguns dos anteriores. Você deve ter percebido que determinados sintomas aparecem nas três listas. Não há uma regra fixa que determine qual deles o organismo vai escolher, ou quando o fará. Lembre-se, nenhuma dessas listas é completa. Os sintomas que, em geral, se desenvolvem por último são:

- timidez excessiva;
- reações emocionais diminuídas ou silenciadas;
- incapacidade de se comprometer;
- fadiga crônica ou energia física muito baixa;
- problemas no sistema imunológico e problemas endócrinos, tais como disfunção da tireoide;
- doenças psicossomáticas, sobretudo dores de cabeça, problemas no pescoço e nas costas, asma, problemas digestivos, espasmos no cólon e tensão pré-menstrual grave;
- depressão, sentimentos de catástrofe iminente;
- sensação de desligamento, alienação e isolamento — “morto-vivo”;
- diminuição do interesse pela vida;
- medo de morrer, de ficar louco ou de ter uma vida curta;
- choro frequente;

- mudanças de humor repentinas, como reações de fúria ou acessos de raiva ou vergonha;
- atividade sexual exagerada ou diminuída;
- amnésia e esquecimento;
- sentimentos e comportamentos de impotência;
- incapacidade de amar, de cuidar ou de se ligar a outras pessoas;
- dificuldade para dormir; e
- diminuição da capacidade de lidar com o estresse e de formular planos.

Nem todos esses sintomas, claro, são causados exclusivamente pelo trauma, nem todas as pessoas que têm um ou mais desses sintomas foram traumatizadas. Por exemplo, a gripe pode causar mal-estar e desconforto abdominal semelhante aos sintomas do trauma. Entretanto, há uma diferença; os sintomas produzidos pela gripe duram apenas alguns dias, mas os produzidos pelo trauma se prolongam no tempo. Os sintomas do trauma podem ser estáveis (sempre presentes), instáveis (aparecem e desaparecem) ou ocultados por décadas. Em geral, eles não aparecem de modo isolado, mas em grupos. Essas "síndromes" ficam cada vez mais complexas com o passar do tempo, tornando-se cada vez menos ligadas à experiência original do trauma. Embora alguns sintomas possam sugerir um tipo específico de trauma, nenhum sintoma é uma indicação exclusiva do trauma que o causou. As pessoas manifestam sintomas traumáticos de vários modos, dependendo da natureza e da gravidade do trauma, da situação em que ele ocorreu e dos recursos pessoais e de desenvolvimento disponíveis para o indivíduo no momento da experiência.

E VAMOS DANDO VOLTAS

Relaxar me deixa nervoso.

— Anônimo

Como mencionei várias vezes, a percepção de ameaça causada pela presença da ativação não descarregada cria um ciclo autoperpetuante. Uma das características mais insidiosas dos sintomas do trauma é que eles estão presos ao ciclo original de um modo que também os autoperpetua. Essa característica é o motivo principal pelo qual o trauma é resistente à maioria das formas de tratamento. No caso de algumas pessoas, esse ciclo autoperpetuante mantém os sintomas estáveis. Outras desenvolvem um ou mais comportamentos ou predisposições adicionais — que também podem ser considerados sintomas do trauma — e auxiliam o sistema nervoso a manter a situação sob controle.

Comportamentos de aversão. Os sintomas do trauma são a forma que o organismo tem para se defender contra a ativação gerada por uma percepção de ameaça contínua. Entretanto, esse sistema de defesa não é suficientemente sofisticado para suportar muito estresse. O estresse faz que o sistema se rompa, liberando a energia de ativação original e a mensagem de perigo. Infelizmente, quando vivemos com os efeitos do trauma, apenas evitar situações estressantes não é suficiente para evitar o colapso do sistema de defesa. Se andarmos nas pontas dos pés ao redor da ativação, nosso sistema nervoso vai criar ativações próprias. Quando isso ocorre, não conseguimos nos recuperar do impacto das frustrações cotidianas tão facilmente quanto poderíamos se nosso sistema nervoso estivesse livre para funcionar plena e normalmente.

Circunstâncias comuns por vezes perturbam a delicada organização de energia no sistema nervoso de uma pessoa traumatizada. Essa pessoa pode desenvolver os chamados "comportamentos de aversão" a fim de ajudar a manter a ativação subjacente no lugar. Os comportamentos de aversão são uma forma de sintoma de trauma na qual limitamos nosso estilo de vida a situações que não sejam potencialmente ativadoras. Desenvolvemos relutância a dirigir por termos medo de outro acidente. A animação do futebol desencadeia um ataque de pânico; e os jogos, de repente, parecem menos interessantes. Se ocorrem *flashbacks* durante um encontro sexual, isso pode levar a uma diminuição do interesse por sexo. Qualquer fato que provoque uma mudança em nosso nível habitual de energia tem potencial para desencadear emoções e sensações desconfortáveis. Aos poucos, nossa vida fica cada vez mais restrita, enquanto tentamos evitar as circunstâncias que poderiam alterar o equilíbrio usual da energia.

Medo das chamadas emoções negativas. Quando o equilíbrio de energia é alterado, começamos a reexperienciar o acontecimento. Aqui, o quadro se torna mais complexo porque o que estamos vivenciando deve-se, em parte, à confusão quanto à natureza da energia que é liberada.

Em sua forma pura, a energia gerada por nosso sistema nervoso para nos proteger do perigo é vital. Ela traz uma sensação de vida e liberdade. Quando essa energia é bloqueada na tentativa de nos proteger, uma parcela significativa dela é recanalizada para o medo, a raiva, o ódio e a vergonha como parte do grupo de sintomas que se desenvolve para organizar a energia não descarregada. Essas emoções ditas "negativas" se tornam intimamente associadas à própria energia vital, bem como a outros sintomas que formam o conjunto dos efeitos traumáticos.

Quando sofremos de trauma, a associação entre a energia vital e as emoções negativas é tão íntima que não conseguimos distingui-las. O que precisamos é exatamente da descarga, mas quando ela começa a ocorrer o efeito pode ser aterrorizante e intolerável, em parte porque a energia liberada é percebida como negativa. Por causa desse medo, em geral suprimimos a energia — ou, na melhor das hipóteses, a descarregamos de modo incompleto.

Uso de medicamentos e abuso de drogas. Outro meio pelo qual as pessoas traumatizadas podem tentar estabilizar ou suprimir os sintomas é pela terapia medicamentosa. Com frequência, adotamos essa solução por recomendação de um médico ou tentamos nos automedicar (abuso de drogas).

Qualquer que seja o meio de estabilização que empreguemos, nosso objetivo é criar um ambiente estável. Esse feito exige um contêiner suficientemente forte para que os sintomas não sejam desafiados ou pressionados. Esses contêineres são como diques; precisam ser bem planejados para evitar a liberação do medo terrível e da fúria primitiva e descontrolada. As pessoas traumatizadas frequentemente se encontram numa esteira sobre a qual não têm nenhum controle. Podemos ter o impulso de evitar as situações que evoquem tanto a estimulação quanto o relaxamento autênticos, porque qualquer um deles perturbaria o equilíbrio necessário para que nossos sintomas mantenham sua estabilidade.

FORA DO CICLO

Existem maneiras de sair desses ciclos autoperpetuantes. A Somatic Experiencing® é uma delas. É possível desenvolver perspectivas que nos ajudarão a reconhecer o trauma no momento em que ele ocorrer, ao aprendermos a definir o trauma pelos seus sintomas em vez de defini-lo pelo fato que o causou. Isso nos dará a possibilidade de fluir com nossas respostas naturais em vez de bloquear o processo inato de cura.

O caminho de volta à saúde e à vitalidade é totalmente imediato. Qualquer passo, por pequeno que seja, é significativo e merece atenção. Esse caminho tem um fim, ao contrário de tantas outras jornadas que realizamos no decorrer de nosso crescimento e desenvolvimento — uma resolução que nos deixa mais ricos e mais realizados por tê-la alcançado. A vida já é bem difícil quando somos saudáveis e cheios de vitalidade e pode ser insuportável quando estamos fragmentados pelo trauma. Como você verá nos próximos capítulos, cada pequeno passo em direção à totalidade se torna um recurso que pode ser usado para ampliar e apoiar a cura que se manifesta quando nos alinhamos com nosso eu natural.

Existe um caminho para reassumirmos o controle de nosso corpo, que perdemos quando os efeitos posteriores ao trauma se tornaram crônicos. É possível estimular deliberadamente o sistema nervoso para que ele seja ativado e, então, descarregue suavemente a ativação. Lembre-se, a hiperativação e os mecanismos associados a ela são consequência direta da energia mobilizada de modo involuntário pelo sistema nervoso especificamente em resposta à ameaça. Esses mecanismos se originam no sistema nervoso; você os experiencia no seu corpo. É no seu corpo — com o envolvimento total do sistema nervoso, acessado pela sensopercepção — que você terá sucesso ao trabalhar com eles.

12. A REALIDADE DA PESSOA TRAUMATIZADA

A premissa deste livro é a de que o trauma faz parte de um processo fisiológico natural que simplesmente não foi completado. Pelo menos no início, ele não deriva da personalidade de cada um.

No Capítulo 10, discutimos o modo como os quatro sintomas básicos do trauma — hiperativação, constrição, dissociação e impotência — são diretamente atribuíveis às mudanças fisiológicas que ocorrem quando estamos sobrecarregados ao reagir a um fato que ameaça a vida. Neste capítulo, seguiremos a experiência desses sintomas.

A AMEAÇA QUE NÃO PODE SER ENCONTRADA

Poucos sintomas nos dão mais *insight* em relação à experiência traumática que a hipervigilância. Trata-se de uma manifestação direta e imediata da hiperativação, que é a resposta inicial à ameaça. Seu efeito sobre a resposta de orientação é especialmente debilitante, pois coloca o indivíduo traumatizado numa experiência contínua de medo, paralisia e vitimização.

A hipervigilância ocorre quando a hiperativação que acompanha a resposta inicial ao perigo evoca uma versão compulsiva e ampliada da resposta de orientação. A resposta de orientação distorcida é tão imperiosa que o indivíduo sente um impulso irresistível de identificar a fonte da ameaça, mesmo que seja uma resposta à ativação interna e não a algo percebido no ambiente externo.

Quando a ativação continua (pois descarregá-la é ameaçador demais), encontramo-nos numa situação sem vencedores. Sentimo-

-nos obrigados a encontrar a fonte da ameaça, mas a compulsão é gerada internamente, e a postura hipervigilante compulsiva continuará mesmo que seja identificada uma fonte externa, pois a ativação interna ainda está presente. Tentaremos a todo custo descobrir e identificar a fonte da ameaça — "onde ela está?" e "o que ela é?" —, pois a resposta de orientação primitiva está programada para fazer isso quando o sistema nervoso é ativado. O problema é que, frequentemente, não existe nenhuma ameaça que possa ser encontrada.

A hipervigilância se transforma numa das maneiras de administrar o excesso de energia resultante de uma defesa malsucedida contra a ameaça original. Usamos a hipervigilância para canalizar parte dessa energia para os músculos da cabeça, do pescoço e dos olhos numa busca obsessiva do perigo. Quando isso se combina com a ativação interna que ainda está presente, nosso cérebro racional se torna irracional. Ele começa a tentar identificar fontes externas de perigo. Essa ação não funcional canaliza grande parte da energia numa atividade específica que vai se tornando cada vez mais repetitiva e compulsiva. No estado hipervigilante, qualquer mudança — inclusive mudanças em nossos estados interiores — é percebida como uma ameaça. O que parece uma paranoia infundada pode ser, na verdade, nossa interpretação dos estímulos da ativação sexual ou mesmo o efeito da cafeína num refrigerante.

A tendência à hipervigilância e à defesa fica mais forte à medida que a resposta de congelamento se torna cada vez mais forte. As pessoas hipervigilantes estão presas num estado de alerta intenso e constante e podem de fato assumir uma aparência levemente furtiva ou temerosa, com os olhos bem abertos em virtude da atenção constante. Há uma tendência crescente a ver perigo onde ele não existe e uma diminuição na capacidade de experienciar a curiosidade, o prazer e a alegria de viver. Tudo isso ocorre porque, bem no fundo do nosso ser, simplesmente não nos sentimos seguros.

Por isso, permanecemos continuamente no limite, prontos para uma resposta defensiva, mas incapazes de executá-la de modo coerente. Procuramos compulsivamente a ameaça que não pode ser encontrada, mesmo quando uma ameaça real está bem à nossa frente. O sistema nervoso pode ficar tão ativado que não consegue se desligar com rapidez. Em consequência disso, os ritmos fisiológicos e comportamentais (por exemplo, o sono) podem ser perturbados. Somos incapazes de relaxar ou de nos soltar, mesmo naqueles momentos em que nos sentimos suficientemente seguros para fazê-lo.

A SRA. THAYER

A sra. Thayer, personagem da "The Wind Chill Factor", um conto de M. F. K. Fisher, nos dá um exemplo vívido e preciso do funcionamento da hipervigilância. A sra. Thayer é uma médica que está sozinha na casa de praia de alguns amigos durante um forte temporal de inverno. Ela "está confortável e quente e, aparentemente, despreocupada com as possíveis consequências da tempestade enquanto adormece lentamente. Antes do amanhecer, ela é arrebatada para o mundo consciente de forma tão cruel como se tivesse sido puxada por seus longos cabelos". Seu coração bate com violência, como se fosse sair pela garganta. Seu corpo está quente, mas suas mãos estão frias e úmidas. A médica está em pânico. Ela raciocina, não tem nada a ver com um medo físico. "Ela não está com medo de estar sozinha, nem de estar nas dunas durante a tempestade. Ela não está com medo de um ataque físico, de estupro, de nada disso... Ela simplesmente está em pânico." A sra. Thayer luta contra um impulso irresistível de fugir, dizendo a si mesma: "É aqui [na casa] que eu vou sobreviver, senão fugirei gritando por entre as dunas e morrerei nas ondas e no vento".

É óbvio que o pânico da sra. Thayer tem uma fonte interna. Parafraseando Dostoiévski em *Memórias do subsolo*, ninguém pode viver sem ser capaz de explicar para si mesmo o que está acontecendo consigo, e se um dia as pessoas não conseguirem mais explicar as coisas para si mesmas, dirão que enlouqueceram e essa será a última alternativa de explicação. O sentimento de Dostoiévski teve eco no psicólogo moderno Paul Zimbardo, que escreveu: "A maioria das doenças mentais não representa uma incapacidade cognitiva, mas uma [tentativa] de interpretação dos estados internos descontínuos ou inexplicáveis". A maioria das pessoas considera as experiências inexplicáveis algo que precisa ser explicado.

A necessidade que a sra. Thayer sentia de encontrar a fonte de seu pânico é uma resposta biológica normal a uma intensa ativação interna. De fato, o objetivo da resposta de orientação é identificar o desconhecido em nossa experiência. Isso é importante sobretudo quando o desconhecido puder ser uma ameaça. Quando não conseguimos identificar de modo correto o que está nos ameaçando, armamos inconscientemente nossas próprias armadilhas.

Como apontam Dostoiévski e Zimbardo, os seres humanos têm muita dificuldade para aceitar que algum aspecto de nossa experiência simplesmente não possa ser explicado. Uma vez que a resposta de orientação primitiva tenha sido evocada, sentimo-nos obrigados a procurar uma explicação. Quando não a encontramos, em geral não usamos nossa imensa capacidade cognitiva para reconhecer o que está acontecendo. Mesmo que sejamos capazes de pensar claramente, nossos poderes cognitivos não podem superar por completo a necessidade primitiva de identificar a fonte de nossa perturbação. Nossa necessidade primitiva de identificar alguma fonte de perigo estará satisfeita se, ao contrário, nosso corpo/mente conseguir localizar a fonte da perturbação (como no exemplo de Nancy, no Capítulo 2). Então, uma resposta defensiva natural e bem-sucedida surgirá para completar a experiência. Para muitos de nós, esse é um passo gigantesco em direção à cura do trauma.

Entretanto, em geral, usamos nossa capacidade cognitiva para nos afastar um pouco da questão a fim de resolvê-la e dar-lhe um nome (ou lembrá-la). Ao fazer isso, nos separamos ainda mais da experiência. As sementes do trauma têm um solo fértil nessa separação para se enraizar e crescer. O animal que não consegue localizar a fonte de ativação congela em vez de fugir. Quando a resposta de congelamento começa a superar o extremo impulso de fugir sentido pela sra. Thayer, ela racionaliza (usando o neocórtex) que morrerá se tentar fugir da casa. Ela não só não tem explicação para sua extrema ativação fisiológica, como também estabelece um dilema próprio ao se convencer de que morrerá se fugir. Então a sra. Thayer entra numa teia apertada de imobilidade induzida pelo medo, teia essa produzida por ela mesma.

Como as crianças de Chowchilla (Capítulo 2), a sra. Thayer tem mais medo de fugir do que de continuar presa. Seu neocórtex tenta, em vão, explicar, enquanto seu cérebro reptiliano a impulsiona a agir. Nas garras do terror e da confusão, a sra. Thayer finalmente focaliza sua atenção na respiração ofegante, excluindo todo o resto. Ao suspender a necessidade de entender, ela permite que o cérebro reptiliano complete seu curso de ação — descarregando o extraordinário nível de energia que se havia formado dentro dela. Não sabemos por que a energia está lá. Talvez nem a sra. Thayer soubesse conscientemente. Felizmente para ela (e para nós), isso não importa. Ao focalizar a atenção na sensopercepção da própria respiração, a personagem descarregou a energia que era a fonte de seu ataque de pânico.

QUEM NÃO SINTETIZA NOVAS INFORMAÇÕES NÃO APRENDE

Uma característica inerente à hipervigilância é a ausência das respostas normais de orientação (Capítulo 7). Isso tem consequências sérias para as pessoas traumatizadas. Basicamente, diminui a capacidade geral de agir de maneira eficaz em qualquer situação, não apenas naquelas que exigem uma defesa ativa. Parte da função da resposta de orientação é identificar as novas informações à medida que nos conscientizamos delas. Se essa função estiver enfraquecida, qualquer nova informação nos levará à confusão e à sobrecarga. Em vez de ser assimiladas e ficar disponíveis para uso futuro, as novas informações tendem a se acumular, tornando-se desorganizadas e inúteis. Informações importantes são esquecidas ou extraviadas. A mente torna-se, então, incapaz de organizar os detalhes de um modo que faça sentido. Em vez de reter a informação que não faz sentido, a mente a "esquece". Em meio a essa confusão, qualquer outro problema piora a situação, e circunstâncias comuns podem se transformar num pesadelo de frustração, raiva e ansiedade.

Por exemplo, se as luzes se apagam enquanto estou ansiosamente tentando entender os papéis em minha escrivaninha, não sou capaz de aceitar esse fato inesperado. Dou um salto, pensando de modo irracional que alguém pode estar tentando entrar na minha casa. Percebo que provavelmente isso não é verdade, mas meus movimentos bruscos jogam no chão uma pilha de papéis importantes que eu tinha acabado de arrumar. Inundado por um súbito impulso de raiva irracional, despendo energia dando socos na escrivaninha, cheio de raiva frustrada. Pensamentos inúteis passam por mim: será que a porta dos fundos está trancada? Quem deveria ter pagado a conta de luz? Pouncer (meu cachorro) está aqui dentro ou lá fora? Encontro fósforos e acendo um, iluminando levemente a escrivaninha confusa. Onde está a conta de luz? Minha atenção se perde; esqueço que o fósforo está aceso e o deixo cair assim que ele queima meus dedos. Meus papéis pegam fogo. Percebo um sentimento de terror se movendo dentro de mim e fico paralisado, incapaz de fazer qualquer coisa para apagar o fogo. Alguns segundos depois retomo minha capacidade de me mexer, mas a imobilidade diminuiu minha coordenação motora. Sou desajeitado e ineficaz ao abanar o fogo. Notando o perigo em minha falta de coordenação, fico mais agitado e percebo tarde demais que, em meu desespero diante da situação, eu estava usando o único rascunho completo do meu livro para apagar as chamas. As chamas morrem sozinhas. Recomeça a minha tentativa de encontrar uma ordem na escrivaninha atulhada. O que são todos esses papéis? Eu coloquei isso aqui? Onde está a conta de luz? Não consigo entender as implicações do que encontro, e, embora tenha recebido muitos conselhos de amigos sobre como me organizar melhor, continuo fazendo o que sempre fiz. Que outra coisa posso fazer? Neste estado, não sou capaz de aprender, nem consigo adquirir novos comportamentos, nem posso romper os padrões debilitantes que finalmente dominarão a minha vida. Sem a capacidade de aprender novos comportamentos, fazer planos ou sintetizar novas informações, não consigo usar as opções disponíveis que me ajudariam a reduzir a desordem que ameaça se apossar da minha vida.

IMPOTÊNCIA CRÔNICA

A impotência crônica ocorre quando as respostas de congelamento, orientação e defesa se tornam tão fixas e enfraquecidas que se movem primariamente por caminhos predeterminados e não funcionais. A impotência crônica é também outro aspecto comum da realidade da pessoa traumatizada, como a hipervigilância e a incapacidade de aprender novos comportamentos.

À medida que a impotência se torna uma parte inextrincável da vida, as pessoas traumatizadas têm dificuldade de se comportar de um modo que não seja impotente.

Todos os que sofrem de trauma experienciam, em algum grau, o fenômeno da impotência crônica. Em consequência disso, temos dificuldade de participar de modo pleno, sobretudo, de situações novas. Qualquer fuga ou movimento adiante é praticamente impossível para as pessoas que experienciam a impotência e se identificam com ela. Transformamo-nos nas vítimas de nossos pensamentos e autoimagens. Quando nossa fisiologia responde a um fato ou estímulo com a ativação, não nos movemos para uma resposta de orientação e defesa como seres humanos saudáveis. Em vez disso, vamos diretamente da ativação para a imobilidade e impotência, passando por cima das nossas outras emoções e também da sequência normal de respostas. Tornamo-nos vítimas, esperando ser vitimizados repetidamente.

Por não termos acesso às respostas normais de orientação, não conseguimos fugir quando somos ameaçados, mesmo que a situação nos dê essa possibilidade. É possível que nem a vejamos. A ativação está tão fortemente associada à imobilidade que é impossível separar as duas. A ativação leva à imobilidade. Ponto final. Nós nos sentiremos automaticamente imobilizados e impotentes sempre que ficarmos ativados. E ficaremos assim. Talvez sejamos fortificados pela adrenalina e nos tornemos capazes fisicamente de correr, mas a sensação de impotência será tão forte que não conseguiremos encontrar uma saída e usá-la. Esse cenário costuma ocorrer em relacionamentos obsessivos; sabemos que queremos sair deles, mas o medo e a imobilidade superam nossas conexões mais primitivas com o ambiente. Então, ficamos, em detrimento de nós mesmos. Em vez das respostas normais de orientação e defesa (e da vivacidade e do prazer que vêm delas), experienciamos ansiedade, profunda impotência, vergonha, entorpecimento, depressão e despersonalização.

ASSOCIAÇÃO TRAUMÁTICA

Na associação traumática, um estímulo está fortemente ligado a uma resposta específica, e os dois juntos superam os comportamentos normais de orientação. O estímulo evoca uma resposta específica.

Sem exceção, somos praticamente incapazes de experienciar qualquer outro resultado. Por exemplo, quando pessoas não traumatizadas recebem a droga ioimbina, experienciam um simples aumento dos batimentos cardíacos e da pressão sanguínea. Entretanto, a droga induz uma reação diferente em veteranos que sofrem de estresse pós-traumático. Eles voltam a experienciar o terror e os horrores do campo de batalha, em vez de apenas experienciarem as sensações físicas. Isso indica uma associação traumática. Para eles, a ativação e as emoções que acompanham a resposta de imobilidade — terror, horror, raiva e impotência — estão inseparavelmente ligadas.

Um exemplo comum de associação traumática acontece quando pessoas traumatizadas entram em pânico ao ficar sexualmente excitadas. A excitação sexual leva ao pânico, à imobilidade e à impotência, em vez de levar a um prazer intenso. Isso pode fazer que elas acreditem que foram sexualmente abusadas quando, na verdade, essas reações foram causadas pela associação traumática.

ANSIEDADE TRAUMÁTICA

E nenhum Grande Inquisidor tem à disposição torturas tão terríveis como a ansiedade [...] que nunca o deixa escapar, nem por distração, nem por barulho, nem no trabalho nem na diversão, nem de dia nem de noite.

— Soren Kierkegaard, filósofo dinamarquês

O estado ativado que não termina, a sensação contínua de perigo, a busca incessante desse perigo, a incapacidade de encontrá-lo, a dissociação, o sentimento de impotência: juntos, esses elementos formam a ansiedade traumática. Quando não conseguimos passar pela resposta de imobilidade, a mensagem biológica resultante é: "A sua vida está por um triz". Essa sensação de morte iminente é intensificada pelos sentimentos de raiva, terror, pânico e impotência. Todos esses fatores se combinam para produzir um fenômeno conhecido como ansiedade traumática.

Em inglês, a palavra "medo" [fear] vem de uma palavra do inglês antigo que significa perigo, enquanto "ansioso" deriva da palavra grega que significa "apertar firmemente" ou estrangular.

A experiência da ansiedade traumática é profunda. Ela vai muito além do que entendemos normalmente por ansiedade. O estado elevado de ativação, os sintomas, o medo de sair ou de entrar completamente no estado de imobilidade, além da percepção incômoda de que algo está muito errado, produzem um estado quase constante de extrema ansiedade. Ela funciona como pano de fundo de qualquer experiência na vida da pessoa gravemente traumatizada. Do mesmo modo, como temos mais consciência da água do que o peixe que nada nela, a ansiedade pode ser mais aparente para aqueles que percebem a pessoa traumatizada do que para ela mesma. A ansiedade traumática aparece como nervosismo, preocupação, inquietação e hipersensibilidade aparentes. A pessoa traumatizada experiencia pânico, terror e tem reações muito exageradas e dramáticas diante de acontecimentos triviais. Esses distúrbios não são características permanentes da personalidade, mas indicadores de um sistema nervoso temporário e perpetuamente sobrecarregado.

SINTOMAS PSICOSSOMÁTICOS

Os sintomas traumáticos não afetam apenas nosso estado mental e emocional, mas também nossa saúde física. O estresse e o trauma são os candidatos prováveis quando não se encontra nenhuma outra causa para uma doença física. O trauma pode fazer que uma pessoa fique cega, muda ou surda; pode causar paralisia nas pernas, nos braços ou em ambos; pode provocar dores crônicas no pescoço e nas costas, síndrome da fadiga crônica, bronquite, asma, problemas gastrointestinais, tensão pré-menstrual grave, enxaquecas e uma multidão de condições ditas psicossomáticas. Qualquer sistema físico capaz de conter a ativação não descarregada, provocada pelo trauma, torna-se uma presa fácil. A energia presa usará qualquer aspecto da nossa fisiologia que esteja disponível.

NEGAÇÃO

Muitas pessoas traumatizadas vivem num estado de resignação diante dos sintomas, sem nunca tentar encontrar um caminho de volta a uma vida normal e saudável. A negação e a amnésia têm papel importante, pois reforçam esse estado resignado. Embora possamos nos sentir tentados a julgar ou criticar as pessoas que negam terem sido traumatizadas (afirmando que de fato nada aconteceu), é importante lembrar que isso é (em si mesmo) um sintoma. A negação e a amnésia não são escolhas voluntárias feitas por essas pessoas; não indicam fraqueza de caráter, disfunção da personalidade ou desonestidade deliberada. Esse caminho não funcional se transforma num padrão em nossa fisiologia. A negação ajuda a preservar a capacidade de funcionar e sobreviver no momento de um fato traumático. Porém, quando se torna crônica, ela transforma-se num sintoma não resolvido do trauma.

Para reverter os efeitos da negação ou da amnésia, é necessária muita coragem. A quantidade de energia que é liberada quando isso acontece pode ser enorme e não deve ser minimizada, nem subestimada.

Esse é um momento fundamental para a pessoa traumatizada.

GLADYS

A história de Gladys pode parecer ridícula, mas é verdadeira e está dentro da amplitude de experiência que poderíamos esperar da negação típica. O processo de sair da negação ou da amnésia pode ser facilitado pelo apoio da família, de amigos e terapeutas, mas o momento adequado para esse despertar é uma questão puramente biológica e fisiológica.

Gladys foi encaminhada a mim por seu médico, que a tratava de problemas na tireoide. Ele não conseguira identificar uma razão física para seus ataques repetidos de dor abdominal aguda. Ao conhecê-la, fiquei tocado com sua aparência intensa, temerosa e de olhos arregalados. Seus olhos pareciam lhe saltar da face, um indicador clássico não só de hipertireoidismo, mas também de medo e hipervigilância crônica. Eu lhe perguntei se ela havia se sentido amedrontada ou experienciado algum trauma. Ela me disse que não.

Sabendo que as pessoas às vezes negam o trauma, refiz minha pergunta e lhe perguntei se ela havia experienciado algo que fosse especialmente assustador ou perturbador nos últimos cinco anos. De novo, ela respondeu que não. Numa tentativa de deixá-la mais à vontade, comentei que um estudo recente tinha descoberto que uma grande porcentagem da população tinha experienciado algo assustador nos últimos cinco anos.

"Verdade!", ela respondeu. "Bem, fui raptada há alguns anos. Mas não foi tão assustador."

"Nem um pouco?"

"Não, na verdade não."

"O que aconteceu?"

"Bem, eu estava esquiando no Colorado com alguns amigos e íamos sair para jantar. Um homem veio dirigindo o carro, abriu a porta e eu entrei. Mas ele não foi para o restaurante."

"E você não ficou assustada?"

"Não, era um fim de semana para esquiar."

"Para onde ele foi?"

"Ele me levou para a casa dele."

"E você não ficou assustada quando ele não foi para o restaurante e em vez disso a levou para a casa dele?"

"Não, eu não sabia por que ele estava me levando para lá."

"Bem, e o que aconteceu depois?"

"Ele me amarrou na cama dele."

"Isso não foi assustador?"

"Não, na verdade nada aconteceu. Ele só me ameaçou. Bem, pode ser que eu estivesse um pouquinho assustada — ele tinha facas e revólveres de todo o tipo pendurados nas paredes."

"Mas você realmente não ficou assustada?"

"Não, não aconteceu nada."

Naquele dia, Gladys saiu com uma aparência exteriormente calma. Sua afirmação de que não tinha ficado assustada durante o rapto ou em qualquer outro momento ainda dominava sua experiência. Ela não retornou.

A história de Gladys, embora seja extrema, é típica da negação. A negação mantém a pessoa traumatizada presa em suas garras até que os processos primitivos que guardam o sistema se afrouxem. Saímos da negação porque nos sentimos seguros, porque outro acontecimento desencadeia uma "lembrança" ou porque a nossa biologia diz: "Chega". Embora existam coisas que amigos, pessoas queridas e terapeutas possam fazer para ajudar (isto é, intervenção), a sensibilidade para o momento oportuno é crítica para o sucesso dessas abordagens.

O QUE OS SOBREVIVENTES DE UM TRAUMA ESPERAM

A menininha molestada pelo pai congela na cama porque não consegue escapar ao terror e à vergonha da experiência pela fuga. Quando sua resposta defensiva de fuga é bloqueada, a capacidade da criança para se orientar diante de estímulos normais muda. Ela não responderá mais com curiosidade e expectativa. Suas ações serão contraídas e congeladas pelo medo. O som de passos, que na criança "normal" provoca uma expectativa alerta, evocará o terror congelado na criança vítima de incesto.

Quando o incesto é contínuo, a criança responde se congelando habitualmente no estado de imobilidade. Contudo, a imobilidade torna-se um sintoma não funcional do trauma para as crianças que são ameaçadas. Elas se transformam em vítimas psicológicas e fisiológicas e carregarão essa postura por toda a vida. Elas serão incapazes de realizar uma mudança total da imobilidade para a possibilidade da fuga ativa, independentemente da situação em que se encontrem. Elas se tornam tão identificadas com a impotência e a vergonha que literalmente não têm mais recursos para se defender quando são atacadas ou pressionadas.

Todos os seres humanos que são repetidamente sobrecarregados ficam identificados com estados de ansiedade e impotência. Além disso, trazem essa impotência para muitas outras situações que são percebidas como ameaçadoras. Eles tomam a "decisão" de ser impotentes e continuam por diversos modos a provar essa vitimização a si mesmos e aos outros. Submetem-se ao sentimento de impotência, mesmo em situações que poderiam dominar. Às vezes (no que é conhecido como reação contrafóbica), tentam provar o contrário daquilo que não gostam em si mesmos, provocando deliberadamente o perigo. De qualquer maneira, estão se comportando como vítimas; e esses comportamentos provocam mais vitimização.

Os criminosos falam a respeito do uso da linguagem corporal na escolha das vítimas. Eles aprenderam pela experiência que algumas pessoas não se defendem tão bem como outras. Procuram sinais da história que se revelam nos movimentos descoordenados e desajeitados e no comportamento desorientado da presa em potencial.

A ÚLTIMA VOLTA

À medida que os sintomas do trauma tornam-se mais complexos, começam a envolver em sua teia todos os aspectos da vida da pessoa traumatizada. Esses sintomas têm uma base fisiológica, mas, quando o desenvolvimento deles chegar à última volta de uma espiral descendente, eles estarão não só afetando como dirigindo os aspectos mentais da nossa experiência. O que é mais assustador é que uma grande parte desse impacto permanecerá inconsciente.

O impacto do trauma pode não ser de todo consciente, mas por certo ele é totalmente ativo. De modo insidioso, o trauma contribui para os motivos e os impulsos do nosso comportamento. Isso significa que o homem que foi espancado quando criança se sentirá impelido a espancar quando for adulto. A energia por trás dessa necessidade de bater não é outra senão a energia contida nos sintomas traumáticos. Essa compulsão inconsciente só pode ser conquistada com uma grande força de vontade até que a energia seja descarregada.

O fenômeno que dirige a repetição dos fatos traumáticos passados é chamado de reatuação, sintoma que domina a última volta da espiral descendente no desenvolvimento dos sintomas do trauma. A reatuação é mais compulsiva, misteriosa e destrutiva para nós como indivíduos, como sociedade e como comunidade mundial.

PARTE III

TRANSFORMAÇÃO E RENEGOCIAÇÃO

13. MATRIZ PARA REPETIÇÃO

Isso nos surpreende pouco demais.
— Sigmund Freud

REATUAÇÃO[21]

O instinto de completar e curar o trauma é tão poderoso e persistente quanto os sintomas que ele cria. O ímpeto de resolver o trauma por meio da reatuação pode ser físico e compulsivo. Somos inextrincavelmente atraídos para as situações que repetem o trauma original, de formas óbvias e não óbvias. A prostituta ou *stripper* com histórico de abuso sexual na infância é um exemplo comum. Podemos nos descobrir experienciando os efeitos do trauma tanto pelos sintomas físicos quanto por uma interação totalmente estabelecida com o ambiente exterior. As reatuações podem ocorrer em relacionamentos íntimos, em situações de trabalho, em acidentes ou infortúnios que se repetem e em outros acontecimentos que aparentemente são obra do acaso. Podem também aparecer na forma de sintomas corporais ou de doenças psicossomáticas. As crianças que tiveram uma experiência

21. O autor traz o conceito de *re-enactment* dada sua qualidade repetitiva, como um padrão que se repete. Utiliza *act-in* e *act-out* no contexto do trauma referindo-se a como a atuação ocorre — se em relação a si próprio ou em relação ao ambiente. A atuação em relação a si mesmo levaria, em última análise, à doença, enquanto a atuação em relação ao ambiente (para fora) manifestar-se-ia em comportamentos agressivos, de violência. Assim, traduzimos *re-enactment* como reatuação, *act-in* como atuar para dentro e *act-out* como simplesmente atuação ou atuação para fora. [N. R. T.]

traumática vão recriá-la repetidamente ao brincar. Como adultos, numa escala de desenvolvimento maior, reatuaremos os traumas em nossa vida cotidiana. O mecanismo é semelhante, independentemente da idade do indivíduo.

De uma perspectiva biológica, um comportamento tão poderoso e imperioso quanto a reatuação pertence à categoria de "estratégias de sobrevivência". Isso significa que os comportamentos foram escolhidos porque, historicamente, trazem vantagens para a perpetuação de determinada espécie. Qual é então o valor de sobrevivência das reatuações, quase sempre perigosas, que acometem tanto pessoas quanto sociedades traumatizadas?

Precisamos aprender rápido e efetivamente sobre nosso ambiente para sobrevivermos. É essencial que o desejo de aprender e reaprender seja imperioso. No ambiente selvagem, as fugas iniciais de um animal jovem são, com frequência, chamadas de "sorte de principiante". Esse animal precisa desenvolver comportamentos que aumentem a probabilidade de fuga, e, assim, o período de aprendizagem é rápido e intenso.

Acredito que os animais "revejam" cada encontro e pratiquem as possíveis opções de fuga *depois* que a energia ativada para a sobrevivência foi descarregada, de modo a intensificar esse processo de aprendizagem. Vi um exemplo desse comportamento no Discovery Channel. Três filhotes de guepardo tinham escapado por pouco da perseguição de um leão ao mudar rapidamente de direção e subir numa árvore alta. Depois que o leão foi embora, os filhotes desceram e começaram a brincar. Um por vez, cada filhote assumiu o papel do leão, enquanto os outros dois praticavam diversas manobras de fuga. Eles ziguezaguearam e depois subiram na árvore, permanecendo ali até que a mãe retornasse da caça. Depois, andaram orgulhosamente em volta da mãe, informando-a da fuga habilidosa deles.

Acredito que a raiz biológica da reatuação esteja nessa "segunda fase" da normalização — a prática "de brincadeira" das estratégias defensivas. Mas como esse jocoso mecanismo inato de sobrevivência degenera na reatuação, que é frequentemente traumática, patológica trágica e violenta? Essa é uma pergunta importante que devemos responder, não só para as pessoas traumatizadas, mas para toda a sociedade. Grande parte da violência que flagela a humanidade é resultado direto ou indireto do trauma não resolvido que "atua para fora" em tentativas repetidas e malsucedidas de restabelecer um senso de poder.

Os filhotes de guepardo descarregaram a maior parte da intensa energia de sobrevivência que tinham mobilizado durante a fuga bem--sucedida do leão (fase um). Depois da fuga, pareciam alegres. Então, entraram na fase dois — eles começaram a revisar, "brincando", a experiência que os tinha levado ao domínio e talvez aos sentimentos de orgulho e poder.

Vamos examinar uma situação humana: você está dirigindo e percebe um carro vindo na sua direção. *Instintivamente seu corpo se mobiliza para se defender. À medida que você ziguezagueia para fora do caminho, sente uma intensa descarga de energia. Você nota que o carro é um Mercury Cougar. Sente-se alegre por ter conseguido escapar. Estaciona o carro e observa que, embora tenha descarregado muita energia, ainda se sente um pouco ativado. Você focaliza sua atenção na sensopercepção e observa pequenos tremores na mandíbula e na pelve, que se espalham para todo o corpo. Você sente calor e formigamento nos braços e nas mãos à medida que a energia se descarrega. Sentindo-se mais calmo agora, começa a rever o acontecimento. "Imagina" vários cenários da situação e decide que, embora sua estratégia defensiva tenha sido bem-sucedida, poderia ter agido de modo diferente. Você anota mentalmente essas alternativas e começa a relaxar. Dirige até sua casa e conta à família o que lhe aconteceu. Há orgulho na sua aparência, e você se sente com mais poder ao recontar o fato. Sua família o apoia e fica feliz por você estar bem. Você fica profundamente tocado pela preocupação que eles demonstraram e sente os braços acolhedores deles a seu redor. De repente, você se sente cansado e decide cochilar um pouco antes do jantar. Você está calmo e relaxado e adormece imediatamente. Ao acordar, sente-se revitalizado. O acontecimento é passado, e você está pronto para retomar a vida com a sua usual noção de ser.*

Infelizmente, é comum que os seres humanos não descarreguem por completo a grande energia mobilizada para a proteção. Portanto, ao entrar na segunda fase, eles estão revendo o fato, mas permanecem num estado extremamente ativado. Esse nível energético aumentado não permite que ocorra a revisão "de brincadeira". Em vez disso, as pessoas podem experienciar *flashbacks* assustadores e compulsivos que são semelhantes a reviver o fato. No Capítulo 16, "Cenário de cura depois de um acidente", abordaremos a resposta mais comum à descarga incompleta. A maioria das pessoas tenta controlar a energia de sobrevivência não descarregada, internalizando-a. Embora essa atitude seja socialmente mais aceitável, ela não é menos violenta do que "atuar para fora". E também não é eficaz para lidar com uma ativação altamente carregada. É importante entendermos que a estratégia de internalizar os procedimentos instintivos de defesa é uma forma de reatuação — talvez ela pudesse ser chamada de "atuar para dentro". Por várias razões, nossa cultura prefere o método de cometer violência contra si mesmo. Obviamente, é mais fácil manter uma estrutura social que parece estar sob controle de si mesma. Contudo, acredito que existe outra razão mais imperiosa: ao internalizar nossa propensão natural para resolver os fatos que ameaçam a vida, estamos negando até mesmo que essa necessidade existe — ela permanece oculta. Um dos aspectos positivos do recente aumento de "atuações" violentas é que isso está nos obrigando a encarar o fato de que o estresse pós-traumático é uma questão de saúde importante, quer se manifeste como "atuar para dentro", quer como "atuar para fora". Examinemos uma situação de "atuar para fora":

Você está dirigindo seu carro e vê outro carro vindo diretamente na sua direção. Seu corpo fica imediatamente tenso e, depois, congela quando você entra em pânico. Você se retesa, resignado com o impacto inevitável. Sente que perdeu o controle [...] e então, no último milésimo de segundo, luta para sair do pânico e sai da frente do outro carro. Enquanto isso, observa que o carro é um Mercury Cougar. Você estaciona o carro. Seu coração está batendo loucamente, e você está ofegante. Enquanto tenta reassumir o controle, tem um momento fugidio de "alta adrenalina", seguido pela intensa sensação de alta ativação. Você está assustado com essa energia, e percebe que está ficando com raiva. A raiva ajuda. Você focaliza a raiva no idiota que quase o matou. Seu coração e sua mente ainda estão a toda, e você percebe que suas mãos estão geladas e ainda coladas ao volante. Você imagina que está estrangulando o idiota com toda a sua força. As imagens do fato começam a passar na frente de seus olhos (a segunda fase começou, mas você ainda está muito carregado). O sentimento de pânico volta, e seu coração bate depressa. Você está perdendo o controle e sente raiva novamente. A raiva tornou-se sua amiga — ela o ajuda a manter alguma aparência de controle.

Seus pensamentos voltam ao idiota. Ele arruinou o seu dia. Você fica imaginando se ele está passando pelo mesmo que você. Você duvida, pois ele é um idiota. Ele provavelmente seguiu o próprio caminho feliz, sem reparar no incidente. Você odeia essa possibilidade, mas começa a pensar que ela é verdadeira. Então tem uma imagem — lembra-se do carro —, a de um Cougar amarelo. Sua raiva aumenta com essa visão. Você odeia o carro e o motorista e vai lhes dar uma lição.

Você dirige rua abaixo procurando o Cougar amarelo. Você o vê estacionado. Seu coração dispara e sua agitação aumenta à medida que manobra para entrar no estacionamento. A vingança será sua — haverá justiça. Você estaciona alguns carros depois, abre o porta-malas e pega a chave de roda. Num ímpeto de energia, vai diretamente para o Cougar e começa a golpear o para-brisa com a chave de roda. Você golpeia várias vezes, tentando descarregar a intensa energia. De repente, para e olha à sua volta. As pessoas estão olhando, incrédulas. Algumas têm medo de você, outras pensam que você está louco, outras lhe lançam olhares hostis. Durante meio segundo você pensa na possibilidade de atacar essas pessoas hostis. Provavelmente elas são amigas do dono do Cougar. E, então, você cai na real. Percebe o que fez e se sente terrivelmente envergonhado. A vergonha imediatamente dá lugar ao pânico. Você agiu contra a lei, e a polícia já deve estar a caminho. É o momento de fugir. Você corre para o carro e sai cantando pneus.

Quando chega em casa, a vergonha é imensa. Sua família está feliz por vê-lo, mas você não pode contar a ela o que aconteceu. Perguntam-

-lhe o que está errado, mas você os afasta. O alívio temporário obtido ao golpear o para-brisa acabou há muito tempo. Mais uma vez, ele deu lugar ao pânico. Você não consegue ficar em casa. Entra no carro e dirige, tentando se acalmar. Nada parece funcionar. Você diz a si mesmo que o idiota merecia o que recebeu, mas encontra pouco alívio nesse pensamento. Você decide que precisa de ajuda para relaxar e se dirige ao bar mais próximo.

Obviamente essa resposta tem muito pouco valor para a sobrevivência. Por estar num estado extremamente ativado, a pessoa da situação descrita não consegue rever o fato de modo inteligente. Em vez de ela se tornar mais forte, seu estado a levou a reatuar ou "atuar para fora" a confusão biológica em vez de descarregar a energia de sobrevivência e voltar ao estado normal. É importante evitar julgar esse tipo específico de resposta. Precisamos vê-lo como o que ele de fato é — *uma tentativa malsucedida de descarregar a energia intensa mobilizada para se defender de uma experiência percebida como ameaçadora à vida.* Em seu livro *Violence*[22] [Violência], o psiquiatra James Gilligan faz esta afirmação eloquente: "[...] *a tentativa de alcançar e manter a justiça, ou de desfazer ou prevenir a injustiça, é a única causa universal da violência*" (grifos do autor). Em nível emocional e intelectual, o *insight* do dr. Gilligan é profundo e acurado, mas como ele se traduz no nível biológico do funcionamento instintivo? Acredito que, no mundo sem pensamentos da sensopercepção, a justiça seja experienciada como finalização. Sem a descarga ou finalização, estaremos fadados a repetir o trágico ciclo da reatuação violenta, quer ela ocorra por meio de "atuar para fora" ou de "atuar para dentro".

Admitir o fato de que uma parte significativa do comportamento humano acontece a partir de estados hiperativados provocados por respostas incompletas diante da ameaça nos deixa humildes. A maior parte da humanidade parece ficar fascinada, talvez até mesmo hipnotizada, pelas pessoas que "atuam" externamente a nossa busca de justiça. Existem numerosos livros detalhando a vida dos *serial killers*,

22. Gilligan, James. *Violence*. Nova York: Grosset-Putnam, 1996, p. 11.

e muitos deles são *best-sellers*. O tema da justiça e da vingança é provavelmente o assunto de mais filmes do que qualquer outro tópico.

O anseio pela finalização e resolução — o que chamo de "renegociação" do trauma — está por trás da nossa poderosa atração pelas pessoas que "atuam". Numa renegociação, o ciclo repetitivo da reatuação violenta é transformado num acontecimento curativo. Uma pessoa transformada não sente necessidade de vingança ou de violência — vergonha e culpa se dissolvem na poderosa onda de renovação e autoaceitação (veja o Capítulo 14, "Transformação"). Infelizmente, há pouquíssimos exemplos desse fenômeno na literatura e no cinema. O filme *Na corda bamba* (Estados Unidos, 1996) tem muitas qualidade transformadoras inerentes à renegociação traumática.

Uma situação comum como a "colisão" faz mais parte da vida cotidiana e tem mais a nos dizer do que aquilo que acontece nos filmes. Na página 133 de *Violence*, Gilligan escreve:

> A fim de entender a natureza do incidente que normalmente provoca a vergonha mais intensa e, portanto, a violência mais extrema, precisamos reconhecer que é exatamente a trivialidade do incidente que faz que ele provoque tanta vergonha. E é a intensidade da vergonha, como eu disse, que faz que o incidente tenha tanto poder de produzir violência.

Quando as pessoas estão sobrecarregadas e não conseguem se defender de modo adequado, costumam se sentir envergonhadas. Quando agem de modo violento, estão buscando justiça e vingança por terem sentido vergonha.

No Capítulo 7, discutimos o fato de o cérebro humano ter três sistemas integrados: reptiliano (instintos), mamífero (emoções) e neocórtex (racional). A vergonha é uma emoção formulada pelo sistema (mamífero) cerebral. A justiça é uma ideia formulada pelo neocórtex, mas e os instintos? Minha opinião é a de que se o impulso instintivo para descarregar a intensa energia de sobrevivência for bloqueado, o funcionamento dos outros dois sistemas cerebrais será profundamente alterado. Por exemplo, vamos examinar a situação de "reatuação" mencionada anteriormente. Qual é o efeito da energia não descarregada sobre as respostas emocionais e racionais do indivíduo? De modo bastante simples, o cérebro emocional traduziu essa energia como raiva. Então, o cérebro "racional" criou a ideia de vingança. Esses dois sistemas inter-relacionados estavam fazendo o que podiam, dadas as circunstâncias. Contudo, por causa do fracasso em descarregar instintivamente uma energia biológica muito poderosa, eles foram colocados numa posição que não estavam preparados para manejar. O resultado dessa tentativa é reatuação e não renegociação.

Embora o comportamento violento possa trazer alívio temporário e aumentar o sentimento de "orgulho", não existe finalização sem a descarga biológica. Em consequência disso, o ciclo de vergonha e violência recomeça. O sistema nervoso continua ativado ao extremo, o que impele as pessoas a buscar o único alívio que conhecem: mais violência. O acontecimento traumático não é resolvido, e as pessoas continuam a se comportar como se ele ainda estivesse acontecendo — pois, falando em termos biológicos, ele está; seu sistema nervoso ainda está extremamente ativado. Os três filhotes de guepardo, já mencionados, sabiam quando o fato real tinha acabado. O ser humano, com sua inteligência muito "superior", nem sempre sabe.

Impressionado pelo modo como os indivíduos pareciam reviver temas da infância durante toda a vida, Freud cunhou o termo "compulsão à repetição" para descrever comportamentos, relacionamentos, emoções e sonhos que pareciam ser *replays* do trauma inicial. A observação de que as pessoas continuam a se colocar em situações estranhamente reminiscentes de um trauma original, a fim de aprender novas soluções, foi central para o conceito de compulsão à repetição de Freud.

5 DE JULHO, 6H30 DA MANHÃ

Bessel van der Kolk, psiquiatra-pesquisador que deu grandes contribuições ao campo do estresse pós-traumático, conta a história de um veterano que ilustra claramente os aspectos perigosos e repetitivos da reatuação em seu impulso para a resolução.

Num dia 5 de julho no final da década de 1980, um homem entrou numa loja de conveniência às 6h30 da manhã. Ele estava com a mão no bolso, simulando um revólver, e exigiu que o caixa lhe desse todo o conteúdo da caixa registradora. O homem pegou aproximadamente cinco dólares em trocados e voltou para o carro, onde permaneceu até que a polícia chegasse. Então, saiu do carro e, de novo com a mão no bolso, disse que tinha um revólver e que todos deveriam ficar afastados. Felizmente, ele foi preso sem levar nenhum tiro.

Na delegacia, o policial que examinou os registros do homem descobriu que ele tinha cometido outros seis "roubos à mão armada" nos últimos quinze anos — todos às 6h30 do dia 5 de julho! Ao descobrir que se tratava de um veterano do Vietnã, a polícia supôs que isso era mais do que uma mera coincidência. Eles o levaram a um hospital de veteranos que ficava nas redondezas, onde o dr. Van der Kolk teve a oportunidade de conversar com ele.

Van der Kolk perguntou diretamente ao homem: "O que aconteceu com você em 5 de julho às 6h30 da manhã?" Ele respondeu diretamente: enquanto estava no Vietnã, o pelotão de que fazia parte foi emboscado pelos vietcongues. Todos morreram, menos ele e seu amigo Jim. Isso tinha acontecido em 4 de julho. Escureceu e os helicópteros não podiam resgatá-los. Eles passaram uma noite aterrorizante, juntos num campo de arroz, cercados pelos vietcongues. Às 3h30 da manhã, Jim foi atingido no peito por uma bala e morreu nos braços do amigo às 6h30 da manhã de 5 de julho.

Depois de voltar aos Estados Unidos, o homem reatuava o aniversário da morte do amigo todo 5 de julho (em que ele não estava preso). Na sessão de terapia com Van der Kolk, o veterano experienciou a dor da perda do amigo e estabeleceu, então, uma conexão entre a morte de Jim e a compulsão que sentia para cometer os roubos. Ele conseguiu parar de reatuar esse trágico incidente ao se conscientizar de seus sentimentos e do papel que o incidente original tinha representado em seu impulso compulsivo.

Qual era a conexão entre os roubos e a experiência do Vietnã? Ao representar os assaltos, o homem estava recriando o tiroteio que tinha resultado na morte do amigo (e do resto do pelotão). Ao incitar a polícia a juntar-se à reatuação, o veterano obtinha o elenco de personagens necessários para representar o papel do vietcongue. Ele não queria ferir ninguém, por isso usava a mão em vez de um revólver. Depois, levava a situação ao auge e conseguia invocar a ajuda de que necessitava para curar seus ferimentos psíquicos. Desse modo conseguia resolver a angústia, a tristeza e a culpa em relação à morte violenta do amigo e aos horrores da guerra.

Se olhássemos para os comportamentos desse homem sem saber nada sobre seu passado, poderíamos pensar que estava louco. Contudo, com um pouco de sua história, percebemos que suas ações eram uma tentativa brilhante de resolver uma profunda cicatriz emocional. A reatuação o levou até o limite, repetidamente, até que por fim ele conseguiu se livrar do pesadelo opressivo da guerra.

Em muitas culturas consideradas primitivas, a natureza dos ferimentos emocionais e espirituais desse homem teria sido reconhecida abertamente pela tribo. Ele seria incentivado a compartilhar sua dor, e uma cerimônia de cura se daria na presença de toda a aldeia. Com a ajuda de seu povo, o homem se reuniria com seu espírito perdido. Depois dessa purificação, ele seria recebido como um herói, numa celebração alegre.

O PAPEL VITAL DA CONSCIÊNCIA

O vínculo entre uma reatuação e a situação original pode não ser tão óbvio. A pessoa traumatizada pode associar o fato traumático a outra situação e repetir esta em vez de o fato original. Acidentes repetidos costumam ilustrar esse tipo de reatuação, sobretudo quando os acidentes são de algum modo semelhantes. Em outros casos, a pessoa pode continuar a se machucar de maneira específica. Tornozelos torcidos, joelhos deslocados, síndrome do chicote e até mesmo muitas das chamadas doenças psicossomáticas são alguns exemplos de reatuações físicas.

Em geral, esses "acidentes" parecem ser apenas acidentes. A pista para identificá-los como sintomas de trauma está na frequência com que eles acontecem e se repetem. Um jovem, abusado sexualmente na infância, teve mais de uma dúzia de colisões traseiras sérias num período de três anos. (Ele não era obviamente culpado em nenhum desses "acidentes".) A reatuação frequente é o sintoma de trauma mais complexo e intrigante. Esse fenômeno pode ser sob medida para o indivíduo, com um nível surpreendente de "coincidência" entre a reatuação e a situação original. Embora alguns elementos da reatuação sejam compreensíveis, outros parecem desafiar a explicação racional.

JACK

Jack, de 50 e poucos anos, é um homem muito tímido e sério que mora no noroeste americano. Ele está bastante envergonhado da razão pela qual me procurou. Entretanto, sob sua vergonha há uma grande sensação de humilhação e fracasso. No verão passado, enquanto estava ancorando seu barco, ele disse à esposa, de modo brincalhão e orgulhoso: "É ou não é um ótimo trabalho?" No momento seguinte, ele, a esposa e o filho foram derrubados de costas. Aconteceu o seguinte: à medida que ele manobrava o barco, uma das cordas ficou presa no acelerador. De repente, o barco foi jogado para a frente. (Ele havia deixado o motor em ponto morto enquanto manobrava.) Jack e a família foram jogados para o alto. Felizmente, ninguém se machucou seriamente, mas ele bateu em outro barco, provocando danos no valor de cinco mil dólares. Além disso, completamente humilhado, ele entrou numa briga verbal com o proprietário da marina quando o homem (provavelmente pensando que Jack estava bêbado) insistiu em atracar o barco para ele. Jack é um navegador experiente, e a família é ligada aos esportes náuticos; assim, esse episódio foi demais para ele. Jack tinha de saber que não se deixa o motor em ponto morto ao atracar.

Usando a sensopercepção, ele foi capaz de experienciar o momento em que segurava a corda e de senti-la puxando seus braços antes de cair de costas. Isso estimulou uma imagem de si mesmo aos 5 anos de idade. Ele estava navegando com os pais e levou um tombo de uma escada, caindo de costas. Ficou sem ar e aterrorizado por não conseguir respirar.

Ao explorar essa experiência, sentiu nitidamente seus poderosos músculos de 5 anos agarrando a escada, enquanto subia cheio de orgulho. Seus pais estavam ocupados e não viram que ele estava brincando na escada. Quando uma grande onda atingiu o barco, Jack foi jogado de costas. Numa sequência humilhante, ele foi levado a diversos médicos, repetindo a história para cada um deles.

Há uma relação importante entre esses dois acontecimentos — a queda aos 5 anos e o fiasco recente. Nos dois casos, ele estava mostrando orgulhosamente sua maestria em ação. Em ambos, caiu de costas, perdendo literal e emocionalmente o ar. O nome do barco de seu pai era "The High Seas" [As Marés Altas]. Uma semana antes do acidente, Jack tinha batizado o próprio barco com o nome de "The High Seas".

PADRÕES DE CHOQUE

Quando Jack renomeou seu barco, ele estava preparando o palco para a reatuação que ocorreu depois, como foi também o caso do veterano do Vietnã. É comum que ocorram lembretes dos incidentes, por coincidência, imediatamente antes de uma reatuação. O que é ainda mais surpreendente para um observador não envolvido é o fato de as relações entre esses incidentes, as reatuações subsequentes e o trauma original serem bastante claras. Contudo, a pessoa traumatizada em geral não tem a menor ideia disso.

É comum que uma reatuação coincida não com lembretes incidentais inconscientes, mas com o aniversário de um fato traumático. Isso pode ser verdadeiro mesmo que o indivíduo não tenha uma memória consciente da ocorrência do fato. O vínculo entre a experiência original e a reatuação é tipicamente inconsciente até mesmo no caso de pessoas que lembram do acontecimento. Sem dúvida, como veremos, a falta de percepção consciente tem um papel-chave na perpetuação dessas repetições, que frequentemente são bizarras.

SEM CONSCIÊNCIA NÃO TEMOS ESCOLHA

Tente tirar arbustos de hera ou touceiras de bambu de seu quintal cortando-os rente ao chão. Qualquer pessoa que já tenha tentado fazer isso sabe que não é possível. Algumas coisas precisam ser abordadas no nível das raízes. O trauma é uma delas. Quando ocorrem reatuações, em geral nos referimos ao comportamento resultante como "atuar para fora" ou atuação. Essas palavras são bem escolhidas. Esse comportamento é chamado de atuação porque ele não é real. Na verdade, outra coisa está na raiz dele — algo do qual a pessoa não tem consciência.

Como discutimos, a atuação traz algum alívio temporário ao organismo. As próprias ações proporcionam uma saída para o excesso de energia gerada pelo ciclo de ativação contínuo. As substâncias que compõem a adrenalina e as endorfinas são liberadas no corpo. Ao mesmo tempo, o organismo consegue evitar sentir a emoção excessiva e as sensações que acompanhariam o fato real. A desvantagem é que, ao seguir com o ato programado, raramente se tem uma chance de experienciar algo novo ou original. Poucas pessoas racionais escolheriam viver a vida nas garras do trauma, constantemente atuando e revivendo experiências avassaladoras.

REATUAÇÃO VERSUS RENEGOCIAÇÃO

Em qualquer reatuação sempre haverá padrões de acontecimentos e crenças, subjacentes e inconscientes, que parecem ter poder próprio para criar nossas experiências de acordo com suas regras. Essa repetição compulsiva não é "deliberada" no sentido comum da palavra. Em geral, ações deliberadas requerem alguma consciência, ingrediente que tem papel muito pequeno na reatuação. Nas reatuações, o organismo humano não percebe plenamente os impulsos e as motivações do comportamento e, em consequência, funciona num modo que é semelhante ao do cérebro reptiliano. Ele simplesmente faz aquilo que faz.

A reatuação representa a tentativa do organismo de completar o ciclo natural de ativação e desativação que acompanha a resposta à ameaça no mundo selvagem. Nesse mundo, a ativação costuma ser descarregada por meio da fuga ou da luta — ou de outros comportamentos ativos que provocam uma conclusão bem-sucedida para a confrontação que em potencial ameaçava a vida. Se o acontecimento original exigia uma estratégia ativa de fuga, então as reatuações que tentam fazer a mesma coisa não deveriam nos surpreender.

Como seres humanos, somos vulneráveis à traumatização de uma maneira que os animais não são. A chave para a saída dessa condição aparentemente insolúvel está na característica que de forma mais clara nos distingue dos animais — a capacidade de perceber *conscientemente* a experiência interna. Quando conseguimos *diminuir o ritmo*, como Jack fez, e experienciar todos os elementos de sensação e sentimento que acompanham nossos padrões traumáticos, permitindo que eles se completem antes de continuarmos, começamos a acessar e a transformar os impulsos e motivações que nos compeliriam a reatuar os acontecimentos traumáticos. A percepção consciente acessada pela sensopercepção nos proporciona uma descarga energética suave e tão efetiva quanto aquela que o animal acessa pela ação. Isso é *renegociação.*

NO TEATRO DO CORPO

A ativação torna-se crônica em decorrência de sensações e emoções avassaladoras que têm uma fonte interna. É por isso que o trauma pode e deve ser transformado ao ser trabalhado internamente. O mundo é o nosso palco na reatuação. Ao permanecer externo, ele também permanece imutável. Desse modo, a reatuação raramente realiza a tarefa pretendida.

Somos prejudicados por vivermos numa cultura que não respeita o mundo interno. Em muitas culturas, o mundo interno de sonhos, sentimentos, imagens e sensações é sagrado. Porém, a maioria de nós tem uma consciência apenas periférica da própria existência. Temos pouca ou nenhuma experiência em encontrar nosso caminho nessa paisagem interna. Consequentemente, estamos despreparados quando nossa experiência exige isso. Se tentarmos fazê-lo, temos mais probabilidades de reatuar do que de negociar com habilidade.

Entretanto, se tivermos paciência e atenção, os padrões que impulsionam a reatuação traumática podem ser desarmados, de modo que recuperamos o acesso às infinitas respostas comportamentais e aos infinitos tons de sentimento que somos capazes de executar. Uma vez que tenhamos entendido o modo como o trauma começa e se desenvolve, precisamos aprender a conhecer a nós mesmos pela sensopercepção. Temos toda a informação de que precisamos para começar a renegociar o trauma. Nosso corpo (instintos) nos contará onde estão os bloqueios e nos dirá quando estivermos indo muito depressa. Nosso intelecto é capaz de nos dizer como regular a experiência para não ficarmos sobrecarregados. Quando essas funções cerebrais trabalham juntas, podemos estabelecer uma relação especial entre a corrente principal de nossa experiência interna e o turbilhão do trauma. Seguir devagar, permitindo que a experiência se manifeste a cada passo, nos dá a possibilidade de digerir os aspectos não assimilados da experiência traumática numa velocidade que podemos tolerar.

O trauma pode ser transformado no teatro do corpo. Os elementos fragmentados que perpetuam a emoção e o comportamento traumáticos podem ser completados, integrados e inseridos novamente no todo. Junto com essa totalidade vem um senso de domínio e resolução.

P.S.: A QUE DISTÂNCIA NO TEMPO E NO ESPAÇO?

Nenhuma discussão sobre a reatuação estaria completa sem o reconhecimento de um aspecto intrigante da repetição traumática que desafia a explicação. Refiro-me especificamente às reatuações de acontecimentos traumáticos cuja trilha pode ser seguida por várias gerações da história de uma família.

Há pouco tempo, pediram-me num curso que eu atendesse uma jovem, "Kelly", que havia estado no desastre de avião em Sioux City, no qual o filme *Sem medo de viver* (Estados Unidos, 1993) foi baseado. Esse voo da rota Denver-Chicago perdeu um motor numa explosão. O avião se inclinou e desceu num ângulo tão agudo que uma queda em parafuso parecia inevitável. Surpreendentemente, o piloto, Al Haynes, impediu que a aeronave entrasse em parafuso e conseguiu fazer um pouso de emergência. O avião partiu-se em dois com o impacto. Pedaços da fuselagem em chamas foram lançados nos milharais em volta. Esse acontecimento dramático foi gravado em vídeo por um cinegrafista amador que ficou famoso. Kelly escapou de ficar presa numa parte retorcida do avião engatinhando em direção a um ponto de luz por um labirinto de metal e fios.

À medida que trabalhávamos juntos, Kelly lenta e gradualmente renegociou o horror do acidente. Quando entramos na parte da experiência ocorrida no momento do impacto, ela ouviu a voz do pai e do avô gritando: "Não espere; vá agora! Vá para a luz. Saia antes que pegue fogo!". Ela obedeceu. O pai e o avô de Kelly tinham sobrevivido, separadamente, a acidentes de avião. Nesses acidentes, os dois homens tinham escapado por pouco, saindo dos destroços assim que o avião tocou o solo.

É provável que Kelly tivesse ouvido histórias sobre as experiências do pai e do avô, e essas histórias podem tê-la ajudado a agir quando o avião caiu. Mas e os outros elementos da experiência? Acidentes de avião recebem grande cobertura da imprensa. Afetam a vida de centenas de pessoas de uma vez, mas, no geral, poucos de nós tivemos alguém da família envolvido num acidente de avião, muito menos três. Além disso, a natureza do acontecimento deve ser considerada. Um acidente de carro pode ser facilmente atribuído a um momento de inconsciência, mesmo que o indivíduo distraído não pareça ter culpa. Mas sugerir que um acidente de avião possa acontecer de modo semelhante está muito além do improvável.

Ouvi diversas histórias de natureza parecida, tanto de clientes quanto de amigos. Alguns fatos se repetem por gerações com fatores coincidentes surpreendentes. Em alguns casos, essas coincidências podem ser atribuídas, ao menos em parte, ao modo como a criança foi formada pelos mitos e padrões familiares. Outros casos não podem ser explicados (sobretudo quando um grande grupo de pessoas está envolvido num desastre dessa magnitude). Deixo os comentários adicionais para Rod Serling[23], mas não deixo de imaginar qual a extensão real dos padrões de choque traumático.

A história de Jessica é outro exemplo dos caminhos misteriosos da reatuação traumática. Aos 2 anos de idade, ela sobreviveu a seu primeiro acidente de avião. O piloto era seu pai, e ele a tomou nos braços e a retirou da árvore onde o pequeno avião tinha caído. Vinte e cinco anos depois, Jessica e o namorado se perderam durante um temporal e bateram numa árvore. Depois se descobriu que a árvore estava exatamente do outro lado da colina onde ela havia caído aos 2 anos! Em nossa sessão, ela resolveu muitos sentimentos e respostas profundos de uma infância difícil e complexa. Será que isso significa que ela não precisa de outro acidente — ou que o segundo acidente naquela colina não foi apenas coincidência? Não sei, e acho que nunca saberei; deixemos que isso continue inscrito no mistério da vida.

23. Rod Serling (1924-1975), roteirista norte-americano criador da série *Além da imaginação* (*The twilight zone*). [N. E.]

14. TRANSFORMAÇÃO

A razão pela qual estamos unidos em espírito ao Inferno e ao Paraíso é para nos mantermos em liberdade.

— Emanuel Swedenborg

Para uma pessoa traumatizada, a jornada em direção a uma vida espontânea, cheia de energia, significa mais do que alívio dos sintomas — significa transformação. Quando conseguimos renegociar o trauma, ocorre uma mudança fundamental em nosso ser. A transformação é o processo de mudar algo em relação a seu oposto. Na transformação entre um estado traumático e um estado de paz, existem mudanças fundamentais em nosso sistema nervoso, sentimentos e percepções, que são experienciados pela sensopercepção. O sistema nervoso oscila entre a imobilidade e a fluidez, as emoções flutuam entre o medo e a coragem e as percepções vão da limitação à amplitude.

O sistema nervoso recupera a capacidade de autorregulação por meio da transformação. Nossas emoções começam a nos animar em vez de nos "pôr para baixo". Elas nos impelem para a maravilhosa capacidade de nos elevar e voar, dando-nos uma visão mais completa do nosso lugar na natureza. Nossas percepções se ampliam para abranger receptividade e aceitação daquilo que é, sem julgamento. Somos capazes de aprender com as experiências da vida. Entendemos que não existe culpa, sem fazer esforço para perdoar.

Em geral obtemos um senso de eu mais seguro e, ao mesmo tempo, nos tornamos mais flexíveis e espontâneos. Essa nova autoconfiança permite-nos relaxar, aproveitar e viver a vida mais plenamente. Sintonizamo-nos mais com as dimensões apaixonadas e extáticas da vida.

Essa é uma metamorfose profunda — uma mudança que afeta os níveis mais básicos do nosso ser. Não enxergaremos mais nosso mundo por olhos assustados. Embora nosso planeta possa ser um lugar perigoso, não sofreremos mais do constante medo que cria a hipervigilância — a sensação de que o perigo está sempre à espreita e de que o pior sempre acontece. Começamos a encarar a vida com um senso de coragem e confiança, que continua a se desenvolver. O mundo se torna um lugar onde coisas ruins podem ocorrer, mas podem ser superadas. A confiança, e não mais a ansiedade, forma o contexto em que todas as experiências se dão. A transformação alcança todas as áreas da nossa vida, do mesmo modo que os efeitos debilitantes do trauma uma vez o fizeram. Tim Cahill, aventureiro e escritor, exprime isso do seguinte modo: "Ponho a vida em risco para salvar a minha alma"[24]. No trauma, já colocamos nossa vida em risco, mas a recompensa da salvação ainda precisa ser clamada.

AS DUAS FACES DO TRAUMA

Pedaços de fuselagem em chamas estão espalhados num grande milharal, atingido por um caminho escurecido de destruição. Nessa dramática cena de abertura do extraordinário filme *Sem medo de viver*, de Peter Weir, Max Klein (representado por Jeff Bridges) acaba de sobreviver a um acidente de avião. Ele cambaleia por imensos pés de milho, segurando um bebê num dos braços e trazendo um menino de 10 anos pela mão. Enquanto paramédicos e bombeiros correm por toda parte, Max chama um táxi e pede para ser levado a um motel. Ele toma uma chuveirada e parece entorpecido. Sob a água corrente, apalpa o corpo para se assegurar de que ainda tem um corpo e fica surpreso ao descobrir um corte profundo. Na manhã seguinte, Max,

24. Cahill, Tim. *Jaguars ripped my flesh: adventure is a risky business*. Nova York: Bantam Books, 1989.

que antes do acidente tinha medo de voar, recusa uma oferta de voltar para casa de trem. Corajosamente, ele, (agora) ex-neurótico, prefere uma passagem de primeira classe num voo de volta para casa.

Ao chegar em casa, Max perde o interesse pela realidade comum da vida diária. Ele se afasta da família e do mundo material e logo mergulha num romance vertiginoso com uma colega sobrevivente (representada por Rosie Perez). Ele está tão mudado que não teme mais a morte. Adorado como um herói por aqueles cuja vida salvou, Max — destemido — aparentemente foi transformado. Mas foi mesmo?

Nesse filme verdadeiramente complexo, são retratados dois lados do trauma. A vida de Max foi alterada profundamente por suas ações heroicas em face da morte. Contudo, ele mudou em dois modos diferentes e contraditórios. Por um lado, parece ter "transcendido" o mundo comum e entrado numa existência gloriosamente apaixonada e expandida. Ao mesmo tempo, restringiu-se e não é mais capaz de tolerar ou de experienciar sua vida normal. Ele fica cada vez mais preso a uma espiral apertada que literalmente o carrega para reatuações do trauma que ameaçam sua vida. Numa tentativa selvagem de curar a nova amada, ele quase mata os dois. No fim, é pelo amor compassivo dela que Max escapa de sua ilusão "messiânica" e confronta o próprio terror e a necessidade desesperada de ser salvo.

Todos os traumas trazem uma oportunidade para a transformação autêntica. O trauma amplifica e evoca a expansão e a contração da psique, do corpo e da alma. É o modo como respondemos a um fato traumático que determina se o trauma será uma medusa cruel e punitiva que nos transformará em pedra ou um mestre espiritual que nos levará por caminhos vastos e não mapeados. No mito grego, o sangue do corpo decapitado da medusa foi recolhido em dois frascos: um deles tinha o poder de matar; o outro, de ressuscitar. Se deixarmos, o trauma tem o poder de tirar a vitalidade de nossa vida e destruí-la. Contudo, também podemos usá-lo para a autorrenovação e a transformação poderosas. Resolvido, o trauma é uma bênção de um poder maior.

PARAÍSO, INFERNO E CURA: UM TERRENO INTERMEDIÁRIO

O grande caminho não é difícil para aquele que não tem preferências; mas faça a menor distinção e o Paraíso e o Inferno ficarão infinitamente distantes.

— Hsin Hsin Ming (o Forrest Gump do século III)

Em *Sem medo de viver*, Max oscila entre o êxtase celestial e o pesadelo infernal, num vórtice de energia cada vez mais restrito. Sua oscilação entre as polaridades extremas do paraíso e do inferno gera o ritmo essencial para a transformação do trauma. Finalmente, ao se entregar à sua necessidade de ser salvo, Max vai até o limiar das portas da morte. Embora ele tenha tido sorte suficiente para transformar seu trauma sem literalmente morrer ou enlouquecer, há métodos menos violentos e mais confiáveis para tal transformação.

A Somatic Experiencing® é um desses métodos. Ela nos permite construir, aos poucos, uma ponte sobre o abismo entre "paraíso" e "inferno", unindo as duas polaridades. Falando fisiologicamente, o paraíso é a expansão e o inferno, a contração. O trauma é suavemente curado com a unificação gradual dessas polaridades.

O organismo desenvolveu processos maravilhosos para curar os efeitos do trauma. Entre eles está a capacidade de unir, integrar e transformar as polaridades de expansão e contração. O trauma pode ser curado de modo seguro se essas polaridades forem integradas de maneira gradual. Quando um médico lida com um trauma físico, seu trabalho é apoiar a cura (lavar o ferimento, protegê-lo com uma bandagem ou gesso etc.). O gesso não cura o osso quebrado; fornece um meio físico de apoio que permite que o osso inicie e complete o próprio processo inteligente de cura. Do mesmo modo, ao integrar as polaridades psíquicas de expansão e contração, a sensopercepção nos apoia na harmonização da maravilha da transformação.

DEIXE FLUIR — RENEGOCIAÇÃO

Tudo flui, para dentro e para fora; tudo tem suas marés; todas as coisas sobem e descem; o balanço do pêndulo se manifesta em tudo; a medida do balanço para a direita é a medida do balanço para a esquerda; o ritmo compensa.

— *O Caibalion*

A nossa vida é como um riacho. As correntezas de nossas experiências fluem ao longo do tempo com ciclos periódicos de tranquilidade, perturbação e integração. Nosso corpo compõe as margens do riacho, que contêm e dão limites à nossa energia vital ao mesmo tempo que permitem que ela flua livremente. É a barreira protetora das margens que nos permite experienciar com segurança nosso senso de movimento e de mudança interior. Freud, em 1914, definiu o trauma "[...] como uma fenda na barreira protetora contra os estímulos, levando a um sentimento fortíssimo de impotência".[25] Usando a analogia do riacho, o trauma de choque pode ser visualizado como uma força externa que rompe a proteção de nossa experiência (margens). Essa fenda cria, então, um vórtice turbulento. Com o rompimento, uma corrente explosiva de energia vital gera um vórtice de trauma. Esse redemoinho existe fora das margens de nossa correnteza de experiência normal de vida (Figura 2). É comum que pessoas traumatizadas sejam sugadas pelo vórtice de trauma ou evitem totalmente a fenda, ficando distantes da região onde a fenda (trauma) ocorreu.

Nós reatuamos e revivemos nossos traumas quando somos sugados pelo vórtice de trauma, abrindo, assim, a possibilidade para a inundação emocional e a retraumatização. Ao evitar o vórtice de trauma, contraímo-nos e nos tornamos fóbicos. Não nos permitimos experienciar a plenitude daquilo que somos por dentro, ou do que

25. Freud, Sigmund. *Five lectures* e *Beyond the pleasure principle.* Nova York: International Psychoanalysis Association Press, 1922.

existe fora. Esse redemoinho dividido suga grande parte de nossa energia vital, reduzindo a força da correnteza principal.

A natureza responde, graças a Deus, criando imediatamente um contravórtice — um vórtice de cura — para equilibrar a força do vórtice de trauma. Essa força equilibradora começa instantaneamente a rodar na direção oposta do vórtice de trauma. Esse novo redemoinho existe "dentro" das margens da correnteza principal de experiência (Figura 3).

Com a criação desse vórtice de cura, nossas escolhas não são mais limitadas a reviver nossos traumas ou a evitá-los. Agora existe uma terceira opção — que chamo de "renegociação". Ao renegociar o trauma, começamos a consertar a margem rompida, contornando a periferia dos vórtices de cura e de trauma, dirigindo-nos gradualmente para o centro deles. Começamos a cavalgar a onda (a oscilação incerta) criada por essas duas forças opostas, experienciando a turbulência entre elas. Então, passamos de uma para outra, de maneira lenta e rítmica, num padrão que forma a figura de um oito. Começando pelo vórtice de cura, contatamos o apoio e os recursos necessários para negociar com sucesso o vórtice de trauma. Movendo-nos entre esses vórtices, liberamos as energias que estavam presas em seus núcleos — como se elas não estivessem feridas. Movemo-nos em direção aos centros, e as energias são liberadas; os vórtices se quebram, se dissolvem e são reintegrados à correnteza principal. Isso é a renegociação (Figura 4).

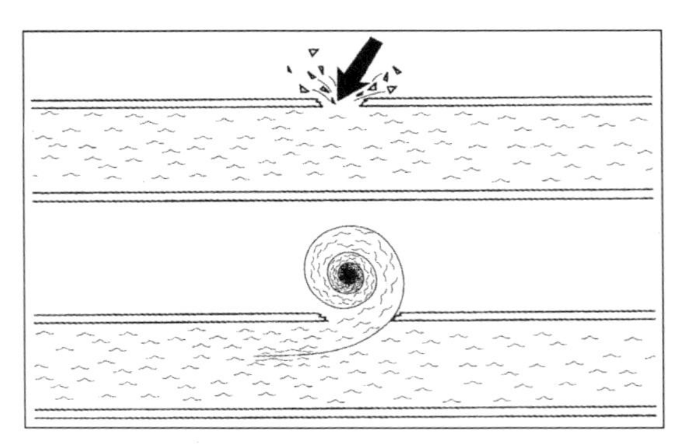

Figura 2. Uma fenda na barreira dos estímulos forma o vórtice de trauma

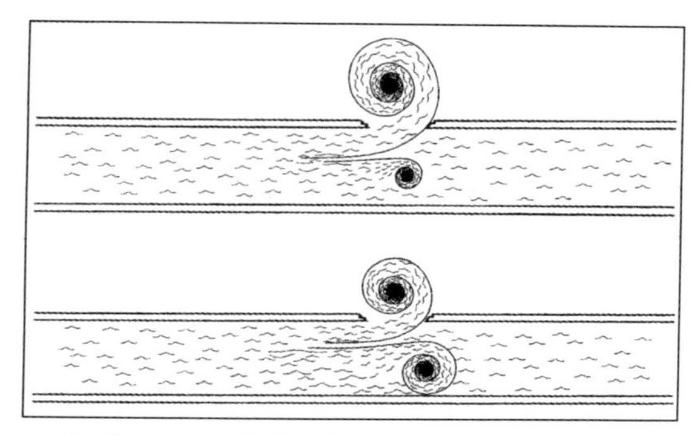

Figura 3. Formação do contravórtice de cura

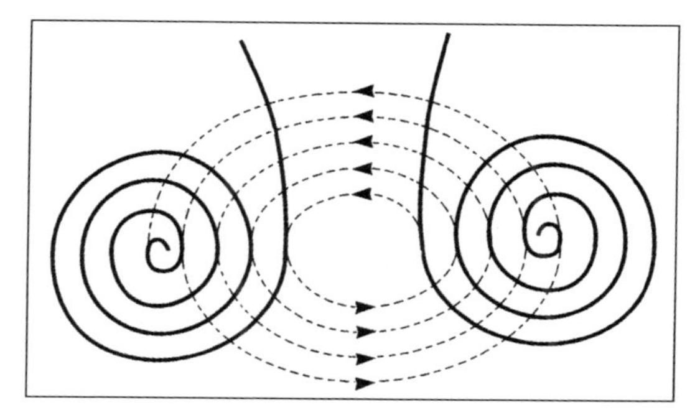

Figura 4. "Renegociação" entre o trauma e o vórtice de cura: a terceira possibilidade

MARGARET

Margaret é uma cliente que tem uma conexão natural tão próxima com a sensopercepção que não censura nem interfere no processo de cura quando este se inicia. Médica de meia-idade, durante anos teve sintomas recorrentes de dor no pescoço e cólicas no baixo abdome. Nenhuma causa desses sintomas foi encontrada, mesmo com exames minuciosos e tratamentos sem sucesso.

No início de nossa sessão, Margaret me diz que sente uma tensão assimétrica no pescoço. Eu a incentivo a observar essa sensação. Quando ela se concentra na tensão, sua cabeça começa a fazer um movimento sutil de rotação (resposta de orientação) para a esquerda. Depois de alguns minutos, suas pernas começam a tremer suavemente (descarga). Ela sente prazer na liberação, mas, de repente, fica assustada com a imagem do rosto de um homem. Outras imagens começam a aparecer, depois de ela passar por uma série de sensações corporais desconfortáveis e ondas de emoções: ela se "lembra" (aos 5 anos de idade) de ser atada a uma árvore por um homem que arranca as roupas dela, lhe bate e, depois, coloca um bastão em sua vagina. Margaret passa novamente por uma onda de emoções, mas permanece conectada com suas sensações físicas. A seguir, ela está deitada numa cama de folhas revoltas. Sente-se animada, mas está calma.

De repente, ela vê uma imagem vívida e detalhada do rosto do homem. Ele está vermelho e contorcido. Gotas de suor caem da testa dele. Então, na mesma respiração, Margaret muda novamente e descreve as folhas de outono no chão à sua volta. Ela conta que está brincando com as folhas e tem uma sensação revigorante. Está se divertindo. Na imagem seguinte, ela está amarrada mais uma vez à árvore. Vê o homem com a braguilha aberta e o pênis para fora. Ele corta um coelho com uma faca e grita que vai matá-la se ela contar para alguém. Ela tem a sensação de que "sua cabeça está ficando louca por dentro". A seguir, está nos braços da avó contando o que tinha acontecido. Lágrimas correm dos seus olhos enquanto ela relata como se sentiu profundamente confortada. Na cena seguinte, está de novo rolando no monte de folhas. Ela ri e rola de um lado para outro com os braços abraçando o peito.

A tensão que Margaret experienciava no pescoço desapareceu depois dessa sessão. Trabalhamos juntos por mais algumas vezes; e ela conseguiu eliminar os sintomas abdominais. O mais importante foi aquilo que ela descreveu como um novo sintoma em sua vida — alegria!

O QUE REALMENTE ACONTECEU?

No caso de Margaret, relatos do incidente (inclusive evidência médica e envolvimento policial) confirmam os fatos básicos da história dela. Porém, a verdade surpreendente é que depois de ajudar milhares de clientes a seguir a experiência da sensopercepção, posso dizer sem nenhuma hesitação que, no que se refere à cura dos sintomas traumáticos, não importa nem um pouco se a história de Margaret é completamente precisa ou completamente "fabricada".

Será que Margaret ultrapassou seus sintomas traumáticos porque voltou ao passado e "reviveu" um relato literal da experiência vivida quando criança? Ou será que, como adulta, teve uma experiência na qual seu organismo trouxe criativamente fragmentos de diversos fatos diferentes, de pontos diversificados no tempo e no espaço, para apoiar seu processo de cura? Para que a primeira explicação fosse verdadeira, o homem teria de tê-la desamarrado, deixado que brincasse um pouco nas folhas e, depois, a amarrado novamente à árvore — duas vezes. É claro que isso é possível. Mas será que ela teria mesmo brincado e se divertido nessa situação? Isso não parece provável. É mais provável que ela estivesse brincando nas folhas num outro momento, e trouxesse essa imagem de volta como um recurso para fortalecer seu vórtice de cura.

E o que dizer em relação à imagem do homem com o pênis para fora que é seguida pela ação de cortar um coelho e gritar com ela? Esse parece um relato literal? Se sim, onde o homem conseguiu o coelho? De novo, é possível que o relato seja precisamente o que aconteceu. Contudo, outras interpretações diferentes também são possíveis.

O homem pode ter dito a ela que a cortaria como se fosse um coelho. Ou, em algum outro momento, ela pode ter ficado apavorada ao ver, ou mesmo ao ler, sobre um coelho sendo cortado ao meio. Sua sensopercepção pode ter sugerido essa imagem como um metáfora para o modo como ela se sentia. Certamente, a imagem transmite o senso de horror que uma criança pequena poderia ter experienciado numa situação como essa.

O que de fato aconteceu é que Margaret, como adulta, foi capaz de seguir as ordens criativas do próprio organismo. Sua consciência alternou-se entre as imagens que evocavam o horror que havia experienciado quando criança (o vórtice de trauma) e outras imagens que permitiram que ela se expandisse e se curasse (o vórtice de cura). Ao conseguir permanecer em contato com as sensações que acompanhavam essas imagens, Margaret permitiu que seu organismo vivenciasse uma pulsação rítmica entre esses vórtices, o que a ajudou a sintetizar uma nova realidade, ao mesmo tempo que descarregava e curava sua reação traumática. Seguindo a linguagem da sensopercepção, Margaret conseguiu renegociar o terror que tinha persistido em seu pescoço e abdome durante décadas depois desse fato horrível. A cura foi realizada pela relação transformadora entre os vórtices de trauma e de cura.

Antes de conhecer os caminhos da sensopercepção, a maioria das pessoas evita as sensações positivas que aparecem junto com o vórtice de cura, silenciando-as ou ignorando-as. As imagens curativas podem ser desconcertantes quando estamos fixados em visões assustadoras. Em nossa tentativa de recuperar mais "lembranças" do que aconteceu, suprimimos a expansão que é buscada desesperadamente pelo sistema nervoso e mergulhamos de cabeça no vórtice de trauma. O segredo da cura de Margaret é que ela não fez isso. Ela seguiu plena e completamente os sentimentos associados à imagem das folhas e se afastou dos sentimentos horríveis de estar aterrorizada e amarrada à árvore. As folhas (associadas com o vórtice de cura) permitiram que ela encarasse as partes mais profundas de seu trauma sem ficar sobrecarregada. Assim, ela se transformou numa pessoa mais integrada e com mais recursos.

RENEGOCIAÇÃO E REATUAÇÃO

Aproximadamente cinco meses antes de chegar a Júpiter, a sonda Galileu precisa se separar da nave-mãe. Essa manobra deve posicionar a sonda de modo preciso, pois ela não tem sistemas de navegação ou de propulsão [...] Como cairá em direção ao planeta a uma velocidade suficiente para ir de Los Angeles a Washington em 90 segundos, uma entrada errada poderia fazer que ela escorregasse na parte externa da atmosfera de Júpiter e se inclinasse em direção ao espaço, ou se incinerasse (caso entrasse direto na atmosfera de Júpiter).

— Kathy Sawyer, The International Herald Tribune, 12 de outubro de 1989

A transformação do trauma não é um ritual mecânico que as pessoas traumatizadas podem realizar e depois ficar sentadas, esperando calmamente os resultados. Não existe uma pílula mágica. A transformação requer uma disposição para desafiar suas crenças básicas com relação à pessoa que você é. Precisamos ter fé e confiar em respostas e sensações que não conseguimos entender por completo e precisamos estar dispostos a experienciar a nós mesmos, fluindo em harmonia com as leis naturais e primitivas que vão controlar e equilibrar nossas percepções aparentemente incongruentes. As pessoas traumatizadas precisam soltar-se de todos os tipos de crença e preconceito a fim de completar a jornada de volta à saúde. Lembre-se o soltar nunca acontece de uma só vez.

O diagrama a seguir (Figura 5) retrata alguém que está entrando num fato traumático (uma montanha-russa com uma volta de ponta-cabeça). Na reatuação, entramos no *loop* e, quando começamos a nos mover de ponta-cabeça, nos seguramos, nos agarrando e tensionando o corpo. Não sabemos que a lei centrífuga da física vai nos impedir de cair e morrer ou de ser feridos. Quando reatuamos, podemos experienciar o terror e/ou a animação de termos sobrevivido a isso. Também podemos ficar viciados ao alívio e à vibração que ocorrem quando confrontamos nossos medos mais profundos. Contudo, não aprenderemos o verdadeiro domínio e entrega que acontece quando nossos traumas são transformados.

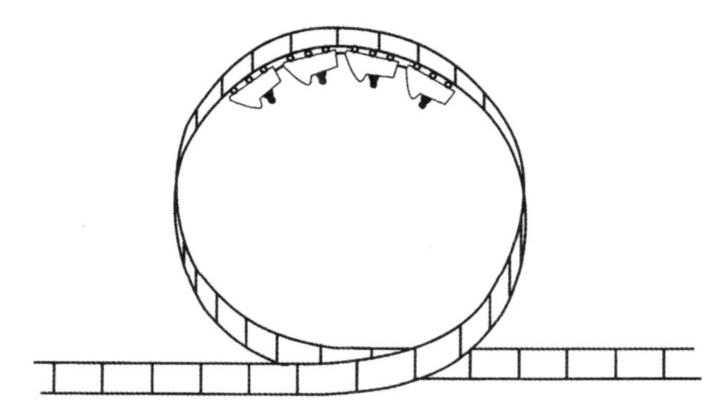

Figura 5. Dominando as forças da transformação

Na renegociação, aos poucos começamos a entender essas leis e forças de modo que possamos aprender a confiar nelas e a nos entregar a elas. Vivenciamos a excitação sem ficar tensos ou aterrorizados. Adquirimos um verdadeiro senso de controle.

Na Somatic Experiencing®, a renegociação se completa quando aprendemos a experienciar as leis restauradoras naturais do organismo. Marius (Capítulo 9) e Margaret (neste capítulo) experienciaram suas sensações passando pelo *loop* dos vórtices de trauma e cura. Eles conseguiram o domínio quando se entregaram às leis naturais. As forças que eles aprenderam a controlar eram centrífugas — como aquelas que são mobilizadas quando nos movemos entre os vórtices de trauma e cura. As pessoas traumatizadas gradualmente têm certeza de que não serão sugadas para um buraco negro e queimadas até as cinzas e nem lançadas no espaço exterior ao atravessarem a turbulência, entrarem no vórtice de cura e depois se moverem ritmicamente de lá para cá entre os dois vórtices. Ao reatuar suas experiências, Marius e Margaret podem ter aprendido que seriam capazes de sobreviver. Entretanto, não teriam aprendido as novas respostas que lhes permitiriam o domínio das forças colocadas em movimento pelos fatos traumáticos. Quando estabelecemos corretamente nossas condições iniciais e nos alinhamos (como a sonda Galileu), confiamos nas leis naturais para que nos guiem em nossa jornada de cura.

Conceitualmente, um dos aspectos mais profundos e desafiadores da cura do trauma é a compreensão do papel desempenhado pela memória. Muitos de nós têm a crença errônea e limitadora de que, para curar nossos traumas, precisamos dragar as horríveis lembranças do passado. O que sabemos com certeza é que nos sentimos prejudicados, fragmentados, perturbados, envergonhados, infelizes etc. Na tentativa de nos sentirmos melhor, buscamos a(s) causa(s) de nossa infelicidade, esperando que isso alivie nossa perturbação.

Mesmo que sejamos capazes de dragar "memórias" razoavelmente precisas de um acontecimento, elas não vão nos curar. Ao contrário, esse exercício desnecessário pode fazer que reatuemos a experiência e sejamos sugados mais uma vez pelo vórtice de trauma. A busca de memórias pode causar mais dor e perturbação e, ao mesmo tempo, solidificar nossa imobilidade congelada. O círculo vicioso aumenta enquanto somos compelidos a buscar outros acontecimentos explicativos ("memórias") para dar conta de nossa perturbação adicional. Qual é a importância dessas memórias?

Existem dois tipos de memória pertinentes ao trauma. Um deles é parecido com uma câmera de vídeo, que grava os acontecimentos em sequência. Trata-se da memória "explícita" (consciente), que guarda informações como o que você fez na festa de ontem à noite. O outro é o modo pelo qual o organismo humano organiza a experiência de acontecimentos importantes — por exemplo, o procedimento para andar de bicicleta. Esse tipo de memória, inconsciente, é chamado de "implícita" (de procedimento). Ela está relacionada com as coisas sobre as quais não pensamos; nosso corpo apenas as realiza.

De muitas maneiras, as imagens aparentemente concretas da "memória" de uma pessoa traumatizada podem ser a parte mais difícil de abandonar. Isso é verdade sobretudo quando a pessoa tentou superar uma reação traumática usando formas de psicoterapia que incentivam a catarse e o reviver emocional do fato traumático como uma panaceia para a recuperação. A catarse reforça a memória como uma verdade absoluta e inadvertidamente reforça o vórtice de trauma. Uma compreensão incorreta da memória é uma das concepções errôneas que interferem no processo de transformação.

O QUE É A MEMÓRIA?

A função do cérebro é escolher no passado, para diminuí-lo,
simplificá-lo, mas não preservá-lo.
— Henri Bergson, *The creative mind*[26]

26. Bergson, Henri. *The creative mind.* Nova York: Philosophical Library, 1946. Na edição em português, publicada pela Martins Fontes, a frase citada por Levine não foi encontrada. [N. E.]

Bergson estava anos à frente de seu tempo com a afirmação de que a função do cérebro não é preservar o passado. Muitos teóricos nos dizem que a ideia de que "você pode saber o que aconteceu porque se lembra" é uma ilusão produzida por uma necessidade humana de criar significados a partir dos diversos elementos da experiência. Em *A invenção da memória*, Israel Rosenfield vasculha a fundo a praia da experiência consciente e chega a várias conclusões espantosas — sobretudo à de que a ideia da memória como normalmente a concebemos é inadequada e errônea. Ele raciocina que "nós não nos apoiamos em imagens fixas, mas em recriações — imaginações — pelas quais o passado é remodelado em formas apropriadas para o presente". Gerald Edelman, que recebeu o prêmio Nobel por seu trabalho em imunologia, adequadamente chama esses fenômenos de "o presente rememorado". No livro *Basic concepts in eidetic psychotherapy*[27] [Conceitos básicos de psicoterapia eidética], Akhter Ahsen mostrou que existe uma antítese entre a criatividade e a memória estática.

Em vez de registar uma sequência linear de fatos, a memória é mais como brincar com o Senhor Cabeça de Batata. Dependendo de como se sente no momento, a mente seleciona cores, imagens, sons, cheiros, interpretações e respostas com ativações e tons de sentimento semelhantes e, depois, os traz para o primeiro plano em diversas combinações para produzir o que chamamos de memória. No que se refere à sobrevivência, a memória é um tipo específico de percepção; não é uma gravação exata de um fato. Nesse sentido, ela é o processo pelo qual o organismo cria a *gestalt* (unidade funcional) da experiência. Essa *gestalt* pode ser uma representação fiel de um fato real ou uma composição feita de dados não relacionados de diversos fatos diferentes — em outras palavras, um mosaico. É por isso que testemunhas oculares com frequência fazem descrições surpreendentemente diferentes de um mesmo incidente.

27. Ahsen, Akhter. *Basic concepts in eidetic psychotherapy*. [s. l.]: Brandon House, 1968.

CÉREBRO E MEMÓRIA

Por mais de cem anos os cientistas têm demonstrado que o cérebro é dividido em áreas responsáveis por sentidos diferentes. Existem áreas para a visão, a audição, o olfato, o paladar, o tato etc. Costumava-se supor que também houvesse áreas específicas do cérebro onde as memórias estivessem gravadas como registros completos dos fatos que alguém tivesse experienciado. Vamos rever os resultados de alguns experimentos que validaram ou desafiaram essa teoria.

Os experimentos de Penfield com pacientes epiléticos. A crença popular de que temos traços fixos de memória em nosso cérebro foi profundamente influenciada pelo trabalho do famoso neurocirurgião canadense Wilder Penfield. Em experimentos clássicos realizados na década de 1930, relatados em *Mystery of the mind*[28] [Mistérios da mente], Penfield usou pequenos pontos de estimulação elétrica para sondar o cérebro de centenas de adultos conscientes que sofriam de epilepsia. Ele queria saber se existiam regiões do cérebro que pudessem ser removidas cirurgicamente (se não estivessem envolvidas numa função vital) para eliminar os ataques epiléticos. Penfield relatou:

> de súbito [seu paciente] ficou consciente de tudo que estava em sua mente durante um momento anterior de tempo. É a corrente de uma consciência anterior (uma memória) fluindo de novo [...] Às vezes ele está consciente de tudo que está vendo no momento [...] Isso para quando o eletrodo é retirado... Essa lembrança elétrica é completamente aleatória [...]; o mais comum é que o fato não seja significativo nem importante.

Penfield e aqueles que seguiram seus passos concluíram que tinham descoberto a existência de memórias permanentes localizadas em áreas específicas do cérebro. Até pouco tempo, outros cientistas concordavam com isso. Porém, as próprias anotações de Penfield deixam claro que a maioria desses *flashbacks* era mais como sonhos

28. Penfield, Wilder. *Mystery of the mind*. Nova Jersey: Princenton University Press, 1975.

do que como lembranças. Os pacientes com frequência diziam coisas como "Eu continuo tendo sonhos [...] Eu continuo vendo coisas [...] sonhando com coisas". Além disso, apenas quarenta dos mais de quinhentos pacientes estudados por Penfield (menos de 8%) relataram ter lembrado de algum tipo de experiência.

Os experimentos de Lashley com ratos. Na mesma época das observações cirúrgicas de Penfield, o psicólogo experimental Karl Lashley também estava tentando descobrir as áreas do cérebro que carregavam os registros da memória. Lashley realizou uma longa série de experimentos bastante horríveis, nos quais ensinava ratos a encontrar o caminho num labirinto e depois cortava sistematicamente partes do cérebro deles. Mesmo depois que o córtex cerebral dos animais era totalmente destruído, os ratos ainda conseguiam encontrar o caminho no labirinto. Para surpresa de Lashley, a memória que tinham do labirinto permanecia até o ponto em que os ratos tinham tão pouco cérebro que quase nada podiam fazer. Lashley passou quase trinta anos buscando a localização da memória no cérebro. Ele nunca a encontrou.

Embora se tenham investido centenas de milhões de dólares e esforços de algumas das mentes científicas mais brilhantes, encontrou-se pouca evidência de uma memória completa com lugar certo no cérebro. Essa revelação surpreendente provocou especulação e conjecturas sobre a natureza da memória. O trabalho pioneiro realizado por Edelman, Rosenfield, Ahsen e outros nos deu outra maneira de analisar a memória. A ideia de que a memória não é um instrumento de registro preciso altera por completo nossas noções convencionais. Ao fazê-lo, proporciona um alívio para as pessoas traumatizadas que estão presas ao trabalho infindável de tentar montar um filme coerente daquilo que aconteceu com elas.

MAS PARECE TÃO REAL!

Se as memórias não são registros literais dos fatos, por que algumas das imagens criadas durante períodos de ativação intensa parecem tão reais? Pesquisas recentes sugerem que a realidade de uma imagem é reforçada pela intensidade da ativação associada a ela. Pierre Gloor, cirurgião de Montreal que cinquenta anos depois trabalha na mesma cidade em que Penfield atuou, descobriu que as "memórias" que Penfield relatou só eram ativadas quando os eletrodos estimulavam simultaneamente as áreas sensoriais e a porção límbica do cérebro. A área límbica do cérebro é responsável em grande parte por sentimentos e emoções. Gloor e seus colegas concluíram que "algum significado afetivo (emocional) ou motivacional de uma percepção pode ser [...] pré-requisito para que a percepção seja experienciada conscientemente ou lembrada e pode implicar que todos os fatos percebidos de forma consciente precisam assumir algum tipo de dimensão afetiva, mesmo que pequena". Em outras palavras, eles concluíram que os sentimentos emocionais são essenciais para a experiência do lembrar.

Em outro estudo, William Gray descobriu que jovens infratores (a quem ele estava tentando ensinar novos comportamentos) só passavam por mudanças reais quando havia um tom emocional associado a suas percepções. De outra maneira, "esqueceriam" aquilo que haviam aprendido. Outros pesquisadores expandiram as descobertas de Gloor e de Gray, e suas conclusões são basicamente as mesmas. A emoção ou o sentimento associados são o pré-requisito essencial para que qualquer elemento da experiência seja lembrado. Mas o que acontece quando existe uma sobrecarga de ativação?

Os acontecimentos que ameaçam a vida estimulam a ativação. Em resposta, o sistema nervoso ativa o modo de sobrevivência, e o organismo tem de tomar uma decisão instantânea. Para realizar essa tarefa, ele pesa os elementos da situação presente e passa para um modo de pesquisa. Compara o presente com o passado, procurando uma resposta que possa ajudar a resolver o dilema atual. Os registros de memória não seriam úteis nesse ponto porque não temos tempo para examinar toda a lista. Precisamos do quadro completo imediatamente.

Esses quadros estão organizados de acordo com os níveis de estimulação, ativação, emoção e resposta. Nossas *gestalts* de experiência estão categorizadas pelos níveis de ativação em que ocorrem. Uma analogia para isso poderia ser uma biblioteca com vários andares de prateleiras de livros. Os andares mais baixos guardam livros associados com níveis mais baixos de ativação (estimulação) e os livros guardados nos andares mais altos estão relacionados com níveis mais elevados. Se pensarmos que os livros contêm imagens e respostas (quadros relacionados) ao nível ou à categoria de ativação, então em cada nível existem recursos e respostas possíveis e adequados, dentre os quais podemos escolher. Quando precisamos de uma resposta, não temos de procurar em toda a biblioteca; examinamos os livros do nível de ativação correspondente.

Por exemplo, numa resposta funcional ideal a um acontecimento que ameaça a vida, o sistema nervoso busca imagens significativas e respostas possíveis em níveis de ativação e contexto apropriados. Então, ele faz uma seleção e age de acordo com ela. Ele procura, seleciona e depois age. Essa sequência de ameaça-ativação precisa incluir uma resposta ativa, ou se tornará congelada e não se completará.

Uma resposta não funcional a um acontecimento que ameaça a vida nunca se completa. Um exemplo é quando o sistema nervoso busca incessantemente e sem sucesso respostas adequadas. As emoções de raiva, terror e impotência aumentam quando ele falha em encontrar essa informação crítica. Esse aumento provoca ainda mais ativação e leva à busca de imagens significativas. Como as imagens que ele encontra estão associadas a emoções traumáticas, as próprias imagens podem evocar mais ativação sem proporcionar a resposta apropriada para completar o processo. Por sua vez, a ativação ainda mais aumentada provoca uma busca mais frenética de uma imagem significativa. O resultado é uma espiral contínua e crescente na qual procuramos imagens guardadas em nossas prateleiras. Conforme nossas emoções aumentam, ficamos mais desesperados para encontrar uma resposta apropriada à nossa situação e começamos a selecionar indiscriminadamente qualquer imagem ou "memória". Todas as imagens selecionadas estão relacionadas a estados emocionais semelhantes e altamente ativados, mas nem sempre são úteis para nossa sobrevivência naquele momento. Elas são o combustível do "vórtice de trauma".

Qualquer ativação emocional associada com uma imagem gera uma experiência de memória. Uma "memória" é criada quando a pessoa, em desespero, seleciona imagens associadas com um tom emocional semelhante, mesmo que o conteúdo seja diferente. Essa memória, em geral, é aceita como a verdade absoluta sobre o que aconteceu. A pessoa traumatizada acredita que ela é verdadeira por causa do alto nível de emoção associado a essa experiência. E se a pessoa atingir esse alto nível emocional durante uma sessão de terapia? Qualquer sugestão ou pergunta exploratória do terapeuta quase certamente será incorporada a essa versão limitada e crescente de uma experiência. A pessoa começará a aceitar essa versão como verdade absoluta e vai se agarrar com tenacidade a essa verdade emocional. As memórias precisam ser entendidas a partir de uma perspectiva tanto relativa quanto absoluta.

Quando não estamos comprometidos em encontrar uma verdade literal, permanecemos livres para experienciar a cura de forma plena e compassiva dada pela alternância rítmica entre os vórtices de trauma e cura, que ocorre na renegociação. Quando nos permitimos criar uma "memória" que não seja necessariamente literal, como Margaret, Marius e muitos outros fizeram, abrimo-nos para a cura. Embora não tenhamos uma convicção literal e emocional da "verdade", obtemos uma perspectiva compassiva por nossos próprios recursos, vitalidade e força. Com frequência, obtemos uma impressão daquilo que aconteceu conosco no passado. É prudente mantermos nossas "memórias" em perspectiva, e não nos sentirmos compelidos a aceitá-las como verdade literal. Podemos aceitar essas ambiguidades históricas como uma fusão de experiências.

Lembre-se a maior parte da memória não é um registro coerente e contínuo de algo que de fato aconteceu. Ela é um processo de reunião de elementos de nossa experiência num todo coerente e organizado. Além disso, frequentemente separamos os elementos de uma experiência traumatizante em fragmentos para diminuir a intensidade das emoções e das sensações. Em consequência, existe a probabilidade de que apenas fragmentos de um fato traumático lembrado sejam inteiramente precisos. Em geral, a "memória" completa de uma experiência traumática tem uma probabilidade muito maior de ser uma compilação de elementos de diversas experiências. Os elementos que são atraídos para essa combinação podem se originar de experiências reais das pessoas e/ou de experiências sobre as quais elas leram em livros ou jornais, ouviram histórias, sonharam, assistiram em um filme, conversaram com um amigo (ou um terapeuta) etc. Em resumo, qualquer tipo de *input* sensorial ou informação que tenha um tom emocional ou sensorial semelhante pode ser invocado para produzir a "memória". No que diz respeito ao organismo, todos esses elementos de experiência são equivalentes se tiverem um mesmo tipo de impacto emocional e de ativação.

O que a sensopercepção está tentando comunicar é "É assim que eu sinto". Porém, como o estado de ativação provoca uma intensa resposta de busca, a pessoa que está vivenciando a ativação está predisposta (corretamente ou não) a interpretar qualquer uma dessas informações como a "causa" da ativação — em outras palavras, como sendo uma memória real do fato. Como as emoções que acompanham o trauma são tão intensas, as chamadas memórias podem parecer mais reais do que a própria vida. Além disso, as pessoas que estão vivendo uma perturbação emocional procuram a causa dessa perturbação e estão vulneráveis a esse tipo de lembrança inventada, caso exista alguma pressão de membros do grupo ou do terapeuta, de livros ou de outros meios de comunicação de massa. É assim que as chamadas falsas lembranças são produzidas.

Infelizmente, muitos terapeutas empregam técnicas de intensa liberação emocional para trabalhar com sintomas traumáticos (ou outros). É justamente esse tipo de pressão emocional que pode estimular os estados de ativação elevada. Quando isso acontece, surgem poderosas colagens experienciais que são percebidas como memórias "verdadeiras" (por causa de sua intensidade). Não é importante saber se as memórias são objetivamente precisas. O fundamental é discriminar se a ativação associada a elas aumenta ou se resolve. É essencial que a ativação não resolvida presa no sistema nervoso seja descarregada. Essa transformação não tem nada que ver com a memória; relaciona-se com o processo de finalização de nossos instintos de sobrevivência.

Algumas pessoas têm dificuldade em aceitar a ideia de que a memória não é um registro contínuo da realidade. Esse é um pensamento desconcertante. As lembranças que temos sobre onde estivemos e o que fizemos contribuem em grande parte para nossas ideias conscientes e inconscientes a respeito de quem somos. As lembranças são consideradas por muitos uma posse valiosa, mesmo que não sejam conscientemente reconhecidas como uma base para a própria identidade.

Quando percebemos a memória como uma "miscelânea" de informação, imagens e respostas, abrimos a porta para a liberdade. Uma memória fixa de acontecimentos registrados de modo literal, com frequência, nos limita e nos confina. Em certo sentido, quando nos agarramos fortemente à versão concreta da memória, estamos limitados a fazer aquilo que sempre fizemos em relação a ela. O dilema é que o trauma não resolvido nos força a repetir aquilo que fizemos antes. Conjuntos de possibilidades novas e criativas não nos ocorrerão com facilidade. A chave para transformar o trauma é nos mover lentamente na direção da flexibilidade e da espontaneidade.

Quando estamos traumatizados, existe uma ruptura eventual no modo como processamos a informação. O organismo fica desorganizado e perde grande parte da fluidez e da capacidade normal para categorizar a informação. A função auto-organizadora normal do organismo precisa ser restabelecida. É importante entender que a escolha de focalizar as memórias (mesmo que elas sejam basicamente precisas) diminuirá nossa capacidade de sair de nossas reações traumáticas. A transformação exige mudança. Uma das coisas que precisa ser mudada é a relação que temos com nossas "memórias".

MAS EU ME ORGULHO DE SER UM SOBREVIVENTE

Não existe futuro no passado.
— Canção country

Nós, que sofremos com o trauma, buscamos memórias de abuso para explicar nossos sentimentos de vitimização e impotência. Também precisamos nos orgulhar de sermos sobreviventes. Ser capaz de lembrar um cenário terrível e saber que você sobreviveu é um elemento importante na construção da autoestima. Por mais importante que esse elemento seja, ele enfraquece quando comparado ao senso saudável de resolução, domínio e poder que acompanha a cura e a transformação verdadeiras. O "orgulho de sobrevivente" é uma indicação de que o funcionamento saudável está tentando se afirmar. Saber que você sobreviveu traz uma sensação agradável porque possibilita que o senso de eu constrito (traumatizado) obtenha algum poder e expansão. Ele pode nos proporcionar uma fonte de identidade. Ele nos dá um sinal da plenitude, e é um bom lugar para começar a jornada de cura.

Desistir da ideia de que as memórias são representações concretas e precisas de fatos passados reais não significa abandonar a experiência de expansão e de afirmação da vida que avança no caminho do sobrevivente. Um de meus clientes, ao trabalhar com o abuso sofrido na infância nas mãos dos membros da gangue do bairro, disse o seguinte: "Eu não tenho mais de justificar minha experiência com memórias".

Os sentimentos de prazer e expansão são a evidência de que o organismo está se movendo para o vórtice de cura. A chave para deixar que o vórtice de cura ampare o processo de transformação está na capacidade de abandonar as ideias preconcebidas sobre como um fato "deveria ser" lembrado. Em outras palavras, você tem de ser capaz de deixar a sensopercepção livre para comunicar-se sem censurar o que ela tem a dizer. Paradoxalmente, isso não nega o significado libertador de reconhecer "aquilo que realmente aconteceu". Essa verdade é experienciada ao nos movermos com fluidez entre os vórtices de trauma e cura. Existe uma profunda aceitação do impacto emocional dos fatos em nossa vida e, ao mesmo tempo, a qualidade de acordar de um pesadelo. Acordamos desse sonho com um senso de admiração e de alegria.

A CORAGEM DE SENTIR

Se você quiser saber se um fato "realmente" aconteceu, tudo que posso fazer é lhe desejar sorte e dizer-lhe aquilo que você já sabe. Você pode ter assumido uma tarefa impossível. Em minha opinião, nem este livro e nem qualquer outra coisa o ajudará a conhecer a verdade daquilo que está buscando. Por outro lado, se seu objetivo primário é curar-se, existe muito conteúdo neste livro que pode ajudá-lo.

Se o que você deseja é curar-se, o primeiro passo é estar aberto à possibilidade de que a verdade literal não seja a consideração mais importante. A convicção de que o fato realmente aconteceu, o medo de que ele possa ter acontecido, a busca sutil das provas de que ele ocorreu podem ficar no meio do seu caminho, enquanto você tenta ouvir aquilo que a sensopercepção quer lhe contar sobre o que é necessário para a cura.

Ao se comprometer com o processo de cura, você saberá mais sobre a verdade por trás de suas reações. Apesar da fragmentação que ocorre na onda do trauma, o organismo retém associações que estão conectadas com os fatos que causaram sua debilitação. Talvez a sensopercepção lhe revele esses fatos, talvez não. Continue lembrando a si mesmo que isso não importa. Não importa se você conhece a verdade concreta, porque o que você deseja é a cura.

DESEJO E CURA

O processo de cura começa internamente. Mesmo antes de o gesso ser colocado em nossos ossos quebrados, eles começam a colar. Assim como existem leis físicas que afetam a cura de nosso corpo, existem leis que afetam a cura de nossa mente. Vimos como nosso intelecto pode superar algumas forças instintivas poderosas de nosso organismo.

Às vezes, as pessoas traumatizadas investem na condição de doentes e podem sentir um tipo de apego com relação aos próprios sintomas. Existem inumeráveis razões (fisiológicas e psicológicas) para explicar por que tal apego ocorre. Não acho que seja necessário entrar em detalhes. O importante é ter em mente que nós só podemos nos curar até o ponto em que conseguimos nos desapegar desses sintomas. É quase como se eles tivessem se transformado em entidades pelo poder que lhes demos. Precisamos libertá-los do nosso coração e da nossa mente junto com a energia que está presa em nosso sistema nervoso.

COM UMA AJUDINHA DE NOSSOS AMIGOS

Uma vez que uma aflição da mente tenha sido conquistada, ela não tem como retornar.

— Thrangu Rinpoche

Devo confessar que os milagres de cura que tenho visto fazem que seja difícil negar a existência de alguma forma de sabedoria e ordem superior. Talvez uma forma melhor de expressar isso seja dizer que existe uma sabedoria inata natural cujas leis proporcionam ordem ao universo. Ela é certamente muito mais poderosa do que qualquer história pessoal de um indivíduo. O organismo, sujeito a essas leis, segue seu caminho até mesmo pelas experiências mais horríveis. Como isso poderia acontecer se não houvesse deus, sabedoria, um tigre no universo? Pessoas que superaram reações traumáticas me dizem com frequência que depois disso existe na vida delas tanto uma dimensão animal quanto espiritual. Elas são mais espontâneas e menos inibidas na expressão de uma afirmação saudável e alegre. Identificam-se mais prontamente com a experiência de ser um animal. Ao mesmo tempo, percebem a si mesmas como mais humanas. Quando o trauma é transformado, uma das dádivas da cura é a admiração e reverência pela vida, como a que as crianças têm.

Quando estamos sobrecarregados pelo trauma (e, portanto, presos), somos submetidos à força às leis naturais. Ao perder nossa inocência, podemos ganhar sabedoria e, nesse processo, ganhamos uma nova inocência. O organismo instintivo não se senta no júri; ele apenas faz aquilo que faz. Tudo que você tem de fazer é sair do caminho.

Ao renegociar o trauma, movendo-nos entre os vórtices de trauma e cura, envolvemo-nos na lei universal da polaridade. Podemos usar essa lei como um instrumento que nos ajudará a transformar nossos traumas. Nesse processo, também estamos experienciando diretamente a pulsação rítmica da vida. Utilizando as leis universais, começamos a reconhecer os padrões cíclicos a partir dos quais nossa realidade é tecida. Em última instância, isso pode levar a uma maior compreensão da relação entre vida e morte.

15. A DÉCIMA PRIMEIRA HORA: TRANSFORMANDO O TRAUMA DA SOCIEDADE

[...] apesar de nossas diferenças, somos todos semelhantes. Além de identidades e desejos, existe um núcleo comum do eu — uma humanidade essencial cuja natureza é paz, e cuja expressão é pensamento, e cuja ação é amor incondicional. Quando nos identificamos com esse núcleo interno, respeitando-o e honrando-o nos outros e em nós mesmos, experienciamos a cura em todas as áreas da vida.

— Joan Borysenko, *Minding the body, mending the mind*

A tecnologia e o rápido crescimento da população estão nos levando a um mundo onde o tempo e a distância não podem nos separar. Ao mesmo tempo, confrontamos graves ameaças a nós mesmos e ao planeta. Convivemos com a guerra, com o terrorismo, com a possibilidade de aniquilação por "superarmas", com uma distância crescente entre os que têm e os que não têm e com a destruição ambiental. Os cidadãos no centro das nossas cidades destroem aleatoriamente a propriedade e a vida, à medida que os efeitos de anos de estresse, trauma, hostilidade e opressão econômica explodem. Os ricos engolem as empresas uns dos outros num furor ritualístico primitivo. As coisas parecem ainda mais horríveis quando consideramos o assustador potencial de violência presente numa geração de crianças nascidas com dependência de drogas e que logo estarão adultas.

À medida que a população mundial aumenta e nossas comunidades se tornam cada vez mais interconectadas, torna-se imperativo que aprendamos a viver e a trabalhar juntos em harmonia. Temos problemas que vão nos destruir se não conseguirmos efetivamente trabalhar juntos para resolvê-los. Porém, em vez de negociar questões econômicas, étnicas e geográficas, indivíduos e comunidades parecem inclinados a destruir-se mutuamente. Essas questões são consideradas as causas das guerras. Mas são mesmo as causas básicas? Nossa sobrevivência como espécie e a sobrevivência deste planeta podem depender de nossa capacidade de responder a essa pergunta.

As raízes da guerra são profundas. Qualquer pessoa verdadeiramente honesta reconhecerá que todos temos capacidade tanto para a violência quanto para o amor. Ambos são aspectos básicos da experiência humana. O que pode ser mesmo mais importante para compreender as raízes da guerra é a vulnerabilidade humana diante do trauma. Não devemos esquecer que o trauma foi reconhecido pela primeira vez nos sintomas assustadores manifestados por alguns soldados que voltavam do combate. Como discutimos no capítulo anterior, quando não temos consciência de seu impacto sobre nós, o trauma cria um impulso compulsivo para a reatuação.

E se comunidades inteiras forem impulsionadas a reatuações em massa por experiências como a guerra? Em face de tal compulsão inconsciente de massa, uma "Nova Ordem Mundial" tornar-se-ia uma polêmica sem sentido. A paz duradoura entre povos em guerra não pode ser efetivada sem que primeiro sejam curados os traumas do terrorismo, da violência e do horror em massa. Será que o impulso para a reatuação impele sociedades que têm uma história de confronto após confronto? Considere a evidência e decida por si mesmo.

A ATITUDE ANIMAL DIANTE DA AGRESSÃO

A maioria dos animais exibe comportamentos agressivos durante a alimentação ou o acasalamento. Graças à National Geographic e a outros programas sobre vida selvagem, conhecemos bem esses comportamentos. Os animais matam e comem membros de outras espécies rotineiramente. A natureza parece ter traçado um limite que raramente é ultrapassado por eles. Há algumas exceções, mas, falando de modo geral, os membros da mesma espécie raramente matam ou ferem gravemente uns aos outros. Apesar do forte imperativo da evolução que dirige a agressividade animal, a maioria das criaturas selvagens tem tabus com relação a matar a própria espécie.

Existem comportamentos ritualizados desenvolvidos que costumam impedir ferimentos mortais dentro da espécie. Animais da mesma espécie exibem esses comportamentos tanto como ato de agressão quanto para indicar que a confrontação acabou. Por exemplo, quando cervos machos se confrontam, usam os chifres para "travar a cabeça". O objetivo do encontro não é matar o outro cervo, mas estabelecer a dominância. A luta que se segue é claramente mais uma luta de comparação do que um duelo de morte. Quando um dos cervos estabelece sua superioridade, o outro deixa a área, e o assunto está encerrado. Se, por outro lado, o cervo é atacado por um membro de outra espécie, como um leão da montanha, usará os chifres para espetar seu agressor.

De modo semelhante, ao lutar com membros da própria espécie, a maioria dos cachorros e lobos morde para ferir, não para matar. Em outras espécies, uma exibição de cor, plumagem, dança ou comportamento ameaçador determinará qual dos agressores será vitorioso. Em geral, até mesmo animais que desenvolveram instrumentos letais para se defender não usam esses recursos contra membros da própria espécie. As piranhas lutam entre si batendo o rabo; cascavéis dão cabeçadas até que uma delas caia.

Os comportamentos ritualísticos também indicam, com frequência, o final de um encontro agressivo entre membros da mesma espécie. Um confronto entre dois animais termina com alguma forma de postura submissa (por exemplo, quando um animal mais fraco rola de costas e se mostra completamente vulnerável, expondo a barriga ao vitorioso). Assim como as diversas formas de combate ritualizado, esses gestos são universalmente reconhecidos e respeitados dentro das espécies. Isso é admirável, diante do fato de que membros da mesma espécie compartilham necessidades idênticas de comida, abrigo e acasalamento. Porém, existe uma clara vantagem evolucionária: ao ajudar a definir hierarquias sociais e reprodutivas ordenadas, esses comportamentos promovem o bem-estar geral do grupo e ampliam a sobrevivência da espécie.

AGRESSÃO HUMANA

Na época em que os homens colhiam e caçavam, a luta aparentemente era limitada pelo mesmo tipo de comportamento inibidor que funciona para os animais. Obviamente isso não ocorre com os humanos modernos "civilizados". Sendo humanos, reconhecemos a proibição evolucionária de matar membros da mesma espécie, do mesmo modo que os animais o fazem. Em geral, há regras ou leis que estabelecem algum tipo de punição por matar um membro da própria comunidade, mas essas leis não se aplicam às mortes que ocorrem na guerra.

Quando examinamos de perto a antropologia da guerra humana, não encontramos matar e mutilar como objetivo universal. Pelo menos entre alguns grupos existem evidências de uma resistência a se envolver na violência e na brutalidade em larga escala. Alguns povos usam comportamentos ritualísticos que lembram bastante o modo animal de lidar com a agressão. Nas culturas esquimós, agressões entre tribos ou comunidades vizinhas são desconhecidas. Dentro dessas comunidades, o conflito entre oponentes pode ser resolvido por lutas, tapas nas orelhas ou cabeçadas. Os esquimós também resolvem os conflitos por meio de duelos de canto, nos quais as canções são compostas de acordo com a ocasião, e o vencedor é escolhido pela audiência. Algumas culturas "primitivas" terminam suas disputas quando um dos membros da tribo é ferido ou morto.

Esses são alguns exemplos do comportamento ritual humano cujo objetivo é manter o tabu contra o assassinato dentro da espécie. Em nível biológico, encontramos uma criatura que se distingue mais facilmente dos outros animais por sua inteligência do que por seus dentes, seu veneno, suas garras ou sua força. Será que a inteligência é um atributo para ser usado a serviço da tortura, do estupro, da morte e da violência? Você pode ser levado a pensar assim se acompanhar o noticiário.

POR QUE OS HUMANOS MATAM, MUTILAM E TORTURAM UNS AOS OUTROS?

Os animais em geral não matam membros da própria espécie mesmo quando estão competindo por recursos básicos — comida e território. Por que o fazemos? O que aconteceu para propagar o assassinato e a violência em larga escala à medida que as populações humanas aumentavam em número e complexidade? Embora existam muitas teorias sobre guerra, há uma causa básica que parece não ter sido amplamente reconhecida.

O trauma é uma das causas básicas mais importantes para a forma que foi assumida pela guerra moderna. A perpetuação, o aumento e a violência das guerras podem ser atribuídas parcialmente ao estresse pós-traumático. Nossos encontros passados uns com os outros geraram um legado de medo, separação, preconceito e hostilidade. Esse legado é um legado de trauma, que não difere fundamentalmente daquele experienciado pelos indivíduos — exceto em escala

A reatuação traumática é uma das reações mais fortes e duradouras que acontecem na esteira do trauma. Uma vez que estejamos traumatizados, é quase certo que continuaremos a repetir ou a reatuar, de algum modo, partes da experiência. Seremos repetidamente atraídos para situações que nos lembrem o trauma original. Quando as pessoas estão traumatizadas pela guerra, as implicações são assustadoras.

Vamos rever o que sabemos sobre o trauma. Quando estamos traumatizados, nosso sistema interno permanece ativado. Tornamo-nos hipervigilantes, mas incapazes de localizar a fonte dessa ameaça onipresente. Essa situação faz que o medo e a reatividade aumentem, ampliando a necessidade de identificar a fonte da ameaça. O resultado: tornamo-nos candidatos prováveis à reatuação — em busca de um inimigo.

Imagine agora toda uma população com uma história pós-traumática semelhante. Agora, imagine duas populações assim, situadas na mesma região geográfica, talvez com idiomas, raças, religiões ou tradições étnicas diferentes. As consequências são inevitáveis. A ativação perturbadora, com sua percepção contínua de perigo, agora está "explicada". A ameaça foi localizada: são eles. Eles são o inimigo. O impulso de matar, torturar e mutilar aumenta — esses dois "vizinhos" parecem compelidos a assassinar um ao outro. Eles destroem o lar, a esperança e os sonhos uns dos outros. Ao fazê-lo, matam seu futuro.

As guerras são complexas e dificilmente podem ser atribuídas a uma única causa, mas países próximos têm uma tendência perturbadora a guerrear entre si. Esse é um padrão que tem sido repetido numerosas vezes na história da humanidade. O trauma tem um potencial assustador para ser reatuado em forma de violência. Sérvios, muçulmanos e croatas têm repetido sua violência como *replays* virtuais instantâneos das duas guerras mundiais, e talvez isso possa ir tão longe no tempo até alcançar o Império Otomano. As nações do Oriente Médio podem seguir seus *replays* até os tempos bíblicos. Em locais onde não se repetem guerras com o tipo de ferocidade e brutalidade que é visto sistematicamente no mundo, prevalecem outras formas de violência. Assassinato, pobreza, moradores de rua, abuso infantil, perseguição e ódio racial e religioso estão todos relacionados à guerra. Não existe modo de evitar os efeitos traumáticos posteriores à guerra; eles atingem todos os segmentos de uma sociedade.

CÍRCULO DE TRAUMA, CÍRCULO DE GRAÇA

Bebês saudáveis nascem com um conjunto complexo de comportamentos, sentimentos e percepções. Esses elementos facilitam a exploração e a formação de vínculos e, por fim, levam a comportamentos sociais saudáveis. Tais comportamentos que promovem a vida sofrem interferência quando os bebês nascem num ambiente de estresse e trauma. Em vez de inclinar-se à exploração e à formação de vínculos, eles são inibidos e exibem comportamentos de medo e retraimento. Ao se tornarem crianças e adultos, serão menos sociáveis e mais inclinados à violência. A atividade exploratória saudável e a formação de vínculos parecem ser antídotos que mitigam a violência e a perturbação.

TRANSFORMANDO O TRAUMA CULTURAL

Os efeitos posteriores à guerra em nível social podem ser também resolvidos, assim como os efeitos do trauma individual podem ser transformados. As pessoas podem e devem se aproximar com uma disposição para compartilhar, e não para lutar; com uma disposição para transformar o trauma em vez de propagá-lo. Devemos começar com nossas crianças. Elas proporcionam a ponte que nos capacitará a experienciar a proximidade e a formação de vínculos com aqueles que antes considerávamos com animosidade.

Há vários anos, o dr. James Prescott (que na época fazia parte do Instituto Nacional de Saúde Mental) apresentou uma importante pesquisa antropológica sobre o efeito de práticas de criação infantil no comportamento violento em sociedades aborígenes.[29] Ele relatou que as sociedades que estabeleciam vínculos físicos próximos e praticavam movimentos rítmicos estimulantes tinham uma baixa incidência de violência. As sociedades que tinham contato físico escasso ou punitivo com as crianças mostravam tendências claras para a violência na forma de guerra, estupro e tortura.

O trabalho do dr. Prescott (e de outros) aponta para algo que sabemos intuitivamente: a infância é um período crítico. As crianças assimilam muito precocemente o modo como os pais se relacionam um com o outro e com o mundo. Quando os pais foram traumatizados, eles têm dificuldade para ensinar aos filhos o senso básico de confiança. Sem esse recurso, as crianças ficam mais vulneráveis ao trauma. A solução para quebrar o ciclo do trauma é envolver bebês e mães numa experiência que gere confiança e vínculo antes de a criança ter sido completamente afetada pela desconfiança que os pais têm de si mesmos e dos outros.

Um trabalho bastante animador nessa área está sendo realizado na Noruega. Minha colega Eldbjorg Wedaa e eu estamos usando aquilo que sabemos sobre esse período crítico da infância. Nossa aborda-

29. Prescott, James. "Body, pleasure, and the origins of violence". *The Bulletin of The Atomic Scientists*, v. 31, n. 9, 1975, p. 10-20.

gem permite que todo um grupo de pessoas comece a transformar os remanescentes traumáticos de encontros anteriores. Esse método precisa de uma sala, de alguns instrumentos musicais simples e de cobertores suficientemente fortes para suportar o peso de um bebê.

O processo funciona assim: um grupo composto por mães e bebês de facções opostas (religiosas, raciais, políticas etc.) é reunido numa casa ou num centro comunitário. O encontro começa com esse grupo misto de mães e de bebês ensinando uns aos outros canções folclóricas simples de suas respectivas culturas. As mães seguram os bebês no colo e os embalam dançando, enquanto cantam as canções para eles. Um facilitador usa instrumentos simples para marcar o ritmo das canções. O movimento, o ritmo e o canto fortalecem os padrões neurológicos que produzem alerta pacífico e receptividade. Em consequência, a hostilidade produzida por gerações de disputa começa a se suavizar.

No início as crianças ficam perplexas com o que está acontecendo, mas logo começam a se interessar e a se envolver. Elas ficam animadas com os apitos, tambores e pandeiros que o facilitador lhes dá. Caracteristicamente, sem estimulação rítmica, as crianças dessa idade apenas tentariam colocar esses objetos na boca. Contudo, aqui, as crianças se juntam ao ritmo com grande prazer, gritando e balbuciando alegremente.

Como os bebês são organismos extremamente desenvolvidos, eles enviam sinais que ativam um profundo senso de serenidade, de responsividade e de competência biológica em suas mães. Nesse tipo de relacionamento saudável, mães e bebês se alimentam reciprocamente numa troca de respostas fisiológicas gratificantes, que por sua vez geram sentimentos de segurança e de prazer. É aqui que o ciclo de dano traumático começa a se transformar.

A transformação continua enquanto as mães colocam os bebês no chão e permitem que eles explorem o espaço. Como ímãs luminosos, os bebês se movimentam alegremente em direção uns dos outros, superando barreiras de timidez enquanto as mães apoiam tranquilamente a exploração deles, formando um círculo ao redor dos filhos.

O senso de conexão mútua gerado por essa pequena aventura é difícil de descrever ou de imaginar — precisa ser testemunhado.

O grande grupo então se divide em grupos menores, cada um com uma mãe e um bebê de cada uma das culturas. As mães embalam suavemente os filhos num cobertor. Esses bebês não estão apenas felizes, estão em "êxtase" completo. Eles geram uma atmosfera de amor tão contagiante que logo as mães (e os pais, quando isso é culturalmente adequado) estão sorrindo uns para os outros e aproveitando uma experiência de profunda formação de vínculos com membros de uma comunidade que anteriormente temiam e da qual desconfiavam. Quando as mães vão embora, o fazem de coração e espírito renovado, e sentem-se ansiosas para compartilhar esse sentimento com outras pessoas. O processo é quase autoduplicador.

A beleza dessa abordagem de cura da comunidade está em sua simplicidade e eficácia. Um facilitador externo inicia o processo, liderando o primeiro grupo. Depois disso, algumas das mães que participaram podem ser treinadas como facilitadoras para outros grupos. Os requisitos básicos necessários para um facilitador são uma sensibilidade aguçada para o *timing* e para os limites interpessoais. Nossa experiência indica que algumas pessoas podem aprender facilmente essas habilidades por meio de uma combinação de experiência participativa e orientações claras. Uma vez treinadas, as mães tornam-se embaixatrizes da paz em suas comunidades.

"Dê-me uma alavanca e um ponto de apoio e moverei o mundo", disse Arquimedes. Num mundo de conflito, destruição e trauma, encontramos um desses pontos de apoio na pulsação rítmica e na proximidade física entre mãe e bebê. Experiências como a descrita reúnem as pessoas de modo que elas possam novamente viver em harmonia. O impacto do trauma é diferente para cada um de nós, Todos precisamos estar dispostos a aceitar a responsabilidade por nossa cura. Se continuarmos a guerrear uns com os outros, a cura pela qual ansiamos não passará de um sonho.

Nações próximas podem quebrar o ciclo generativo de destruição, violência e trauma repetido que as mantêm presas. Ao usar a capacidade do organismo humano para registrar uma vivacidade pacífica, mesmo em meio à defensividade traumática, todos podemos começar a fazer que nossas comunidades sejam seguras para nós mesmos e para nossos filhos. Quando tivermos estabelecido comunidades seguras, poderemos começar o processo de curar nosso mundo e a nós mesmos.

EPÍLOGO OU EPITÁFIO?

Um aldeão armênio lamenta: "Cem anos se passarão até que eu possa voltar a falar com meu vizinho". Nas áreas centrais das cidades americanas, as pressões chegam ao limite do caos e depois se destroem. Na Irlanda do Norte, pessoas separadas apenas por varais de roupas e por religiões diferentes veem seus filhos guerreando uns com os outros em vez de brincarem juntos.

Seres humanos não traumatizados querem viver em harmonia. Porém, os resíduos traumáticos geram a crença de que não conseguiremos superar nossa hostilidade, e que os mal-entendidos nos manterão separados para sempre. A experiência de formação de vínculos descrita anteriormente é apenas um exemplo dos muitos conceitos e práticas que poderiam ser usados para abordar esse grave dilema. À medida que tempo e dinheiro se tornarem disponíveis, poderemos desenvolver outras formas de trazer mulheres grávidas, crianças mais velhas e pais para o círculo de coexistência pacífica.

Essas abordagens não são panaceias, mas um lugar por onde começar. Elas trazem esperança onde as soluções políticas sozinhas não funcionaram. O Holocausto, conflitos no Iraque e na Iugoslávia, os tumultos em Detroit, Los Angeles e em outras cidades, todos esses encontros foram traumáticos para a comunidade mundial. Eles retratam explicitamente o preço que pagamos como sociedade por deixarmos intacto o ciclo do trauma. Precisamos ser apaixonados em nossa busca de caminhos efetivos para resolução. A sobrevivência de nossa espécie pode depender disso.

A NATUREZA NÃO É BOBA

O trauma não pode ser ignorado. Ele é parte inerente da biologia primitiva que nos trouxe aqui. O único modo pelo qual poderemos nos libertar, individual e coletivamente, da reatuação de nossos legados traumáticos é transformando-os pela renegociação. Isso precisa ser feito, qualquer que seja o modo escolhido para transformar esses legados: experiências em grupo, práticas xamânicas ou individualmente.

PARTE IV

PRIMEIROS SOCORROS

16. ADMINISTRANDO PRIMEIROS SOCORROS (EMOCIONAIS) DEPOIS DE UM ACIDENTE

Este capítulo traz o passo a passo de um procedimento para trabalhar com um adulto. Aqui está um exemplo básico do que acontece no momento de um acidente e como você pode ajudar a evitar que o trauma se desenvolva a longo prazo. Use sempre o bom senso para avaliar as circunstâncias específicas com as quais esteja lidando. Aqui são dadas apenas diretrizes básicas.

FASE I — INTERVENÇÃO IMEDIATA (NO LOCAL DO ACIDENTE)

- É claro que os procedimentos médicos de primeiros socorros devem ser prioritários, caso sejam necessários.
- Mantenha a pessoa aquecida, deitada e quieta — desde que, é claro, não haja risco de mais perigo se ela permanecer onde está.
- Não permita que ela se levante rapidamente, mesmo que esteja tentada a fazê-lo. O sentimento de ter algo a fazer, de precisar agir de algum modo, pode superar a necessidade essencial de quietude e de descarga de energia. Talvez ela queira negar a magnitude do acidente e tente agir como se estivesse bem.
- Fique junto da pessoa ferida.
- Assegure-a de que você ficará com ela, que a ajuda está a caminho (se esse for o caso), que ela está ferida, mas que vai ficar bem. (Obviamente, aqui você precisa usar seu julgamento — não diga isso se ela estiver gravemente ferida.)
- Mantenha-a aquecida, por exemplo, coberta com uma manta leve.

- Se o acidente não tiver sido muito sério, incentive a pessoa a experienciar suas sensações corporais, que podem incluir: "descarga de adrenalina", entorpecimento, chacoalhar e tremer, sentir calor ou arrepios.
- Permaneça presente para ajudar a pessoa a descarregar.
- Diga-lhe que não há problema em tremer, isso é bom e vai ajudá-la a liberar o choque. Ela sentirá alívio depois de ter completado os tremores e talvez sinta calor nas mãos e nos pés. A respiração deve ser mais profunda e fácil.
- Essa fase inicial pode levar de 15 a 20 minutos.
- Se possível, permaneça junto da pessoa ferida quando a ajuda chegar.
- Se necessário, procure alguém que possa ajudar a elaborar o acontecimento.

FASE II – QUANDO A PESSOA FOI LEVADA PARA CASA OU PARA O HOSPITAL

- Continue a mantê-la quieta e em repouso até que saia da reação aguda de choque.
- Pessoas feridas sempre devem faltar ao trabalho um ou dois dias a fim de se reintegrar. Isso é importante mesmo que elas achem que o ferimento não justifica ficar em casa. (Essa resistência pode ser um mecanismo de negação comum e uma defesa contra os sentimentos de impotência.) Ferimentos comuns, como a síndrome do chicote, podem se complicar e precisarão de um tempo de recuperação muito maior se essa fase inicial de recuperação não ocorrer. Um ou dois dias de descanso são uma boa garantia.
- Nesta segunda fase, o sobrevivente do acidente provavelmente começará a sentir o reaparecimento das emoções. Permita que as emoções sejam sentidas sem julgamento. Entre elas podemos citar: raiva, medo, pesar, culpa, ansiedade.
- A pessoa ferida pode continuar a ter sensações corporais como tremor, arrepio etc.

FASE III — COMEÇANDO A AVALIAR E A RENEGOCIAR O TRAUMA

Essa fase costuma coincidir com a Fase II e é essencial para acessar a energia presa do trauma, para que ela possa ser totalmente liberada.

Akhter Ahsen estudou os detalhes do que ocorre com o indivíduo antes, durante e depois de um fato traumático. É importante ajudar as pessoas a se lembrarem de imagens periféricas, sentimentos e sensações que tiveram, e não apenas daquilo diretamente relacionado ao fato.

- No decorrer de qualquer uma destas fases, esteja consciente de que, à medida que a pessoa fala sobre suas experiências, ela pode ficar ativada ou agitada. Às vezes a respiração muda e fica mais rápida. A frequência cardíaca por vezes aumenta ou há sudorese. Se isso acontecer, pare de falar sobre a experiência e focalize as *sensações* que ela está vivenciando no corpo, como "sinto uma dor no pescoço" ou "sinto-me enjoado".
- Se você não tiver certeza, pergunte-lhe o que está sentindo.
- Quando a pessoa estiver calma e relaxada, passe para um relato mais detalhado da experiência e das sensações. Ela pode perceber um leve tremor ou chacoalhar. Assegure-a de que isso é normal. Mostre que a resposta de ativação está diminuindo e que você está trabalhando lentamente para trazer essa energia para fora e descarregá-la. Esse processo é conhecido como titulação (dar um pequeno passo por vez).

Seguem-se exemplos daquilo que se pode experienciar em cada parte desse processo e da ordem em que os passos devem ser dados.

Antes da ocorrência do fato

- Ação — Saí de casa e entrei no carro.
- Sensações — Consigo sentir meus braços segurando o volante e minha cabeça virando para olhar para trás.
- Sentimentos — Estou me sentindo incomodado.

- Imagem — Estou dirigindo na estrada e vejo uma saída.
- Pensamento — Eu deveria ter ido por ali, mas não fui. (Incentive a pessoa a dar a volta ou a pegar a saída. Isso ajudará a reorganizar a experiência e a liberar o trauma, mesmo que o acidente tenha ocorrido.)
- Dê tempo suficiente para que a descarga corporal ocorra.

Depois do fato

Agora, passe para os detalhes do que aconteceu depois do fato.

- Imagem ou lembrança — Estou no pronto-socorro. Os médicos estão falando a meu respeito, dizendo: "Esse cara está mal — mais um".
- Sentimento — Eu me sinto culpado.
- Pensamento — Se eu tivesse prestado mais atenção, poderia ter evitado isto.
- Se a pessoa ficar ativada, volte para o presente, focalizando as sensações corporais até que a energia seja descarregada. Depois disso, você pode levá-la tranquilamente para os detalhes do que ocorreu. Como já mencionei, depois que o tremor e a carga ocorrerem, a pessoa terá um senso de alívio, calor nas extremidades e conseguirá respirar melhor.

Imediatamente antes do fato

Quando você tiver conseguido passar pelos detalhes anteriores e posteriores ao acidente, vá para os sentimentos, sensações e imagens relativos ao primeiro reconhecimento do perigo iminente. Pode ser algo assim:

- Imagem — Eu me lembro de ver um para-choque amarelo passando muito perto do lado esquerdo do carro. Também consegui ver que havia um sinal de PARE, mas o carro não parou.
- Sentimento — Fiquei com raiva do motorista porque ele não estava prestando atenção.

- Sensação — Senti tensão nas costas enquanto agarrava o volante.
- Pensamento — Pode haver um súbito reconhecimento: "Oh, meu Deus, vai acontecer... eu vou morrer!"

Pode ser que as imagens do fato mudem à medida que a descarga aconteça.

FASE IV — VIVENCIANDO O MOMENTO DO IMPACTO

À medida que as pessoas voltam a acessar o momento do impacto, podem ouvir vidros quebrando, sons de metal sendo amassado ou ver seu corpo sendo torcido ou arremessado. Explore, por intermédio da sensopercepção, qualquer coisa (e tudo) que surja. À medida que as reações ocorrem, o corpo pode começar a se mover espontaneamente (em geral, de modo suave). Dê 15, 20 minutos para que os movimentos se completem, facilitando a descarga de energia ao focalizar as sensações no corpo. Depois da descarga, as pessoas experienciam uma sensação de alívio, quase sempre seguida por sensações de calor nas extremidades.

Elas podem sentir o corpo indo rapidamente em duas direções, por exemplo: "Enquanto eu era jogado sobre o para-brisa, sentia os músculos das costas se tensionando e me puxando para a direção oposta". Volte a lhes assegurar de que está tudo bem e permita que prossigam *lentamente* com os movimentos. Algumas pessoas experienciam algumas das reações agudas do choque, como chacoalhar e tremer. Dê-lhes apoio e reconheça que estão fazendo progresso.

Por vezes, as vítimas de trauma passam pela experiência de conseguir evitar totalmente o acidente. Ou pulam entre as diversas fases esboçadas aqui. Tudo bem, desde que não evitem por completo alguns aspectos, em especial o momento do impacto.

É importante ficar nessa fase até que você possa concluir num ponto em que a pessoa experimente uma sensação plena de alívio. A respiração dela ficará mais fácil e os batimentos cardíacos, mais estáveis. Talvez ela demore até uma hora para atingir esse ponto. Se necessário, depois de dois ou três dias, continue o processo do ponto onde parou. Isso é preferível a forçar demais para completá-lo em uma única sessão. Você pode precisar trazer gradualmente a pessoa de volta algumas vezes para as áreas pouco exploradas a fim de que o processo se complete.

PARA TERMINAR

Depois de chegar ao ponto em que todas as fases foram satisfatoriamente completadas, descreva de novo toda a experiência e esteja atento à ativação. Se a pessoa estiver sentindo desconforto, talvez esteja faltando algo, o que pode ser resolvido com a revisão final de todo o processo. Suspenda o trabalho a menos que os sintomas continuem ou se desenvolvam posteriormente. Se isso acontecer, reveja qualquer passo que seja necessário.

Sentimentos ou lembranças de outras experiências também podem começar a surgir. Se esse for o caso, comece o mesmo processo pelo qual acabou de passar para lidar com outros traumas não resolvidos ou não relacionados com o atual. Porém, esse processo deve ocorrer muito mais lentamente e demorar mais tempo. Restabelecer a flexibilidade inata da pessoa e a capacidade dela para se orientar e responder pode ajudar a prevenir futuros incidentes, se alguém tiver um padrão ou tendência para acidentes.

CENÁRIO DE CURA APÓS UM ACIDENTE

"Eu estava dirigindo quando um carro não conseguiu parar no sinal de PARE e entrou de repente na estrada vindo de um entroncamento com uma rua lateral. O motorista não me viu a tempo e bateu no lado esquerdo do meu carro. Eu também só o enxerguei no último minuto e não pude evitar o acidente.

Fiquei sentado no carro por um momento, aturdido. Percebendo que estava bem, saí do carro para avaliar os danos. Embora a lataria estivesse bem amassada, não me incomodei muito com isso porque o outro motorista tinha seguro, e o relatório da polícia mostraria que o culpado era ele. Também me peguei pensando que, de qualquer modo, eu já queria pintar mesmo o carro. Eu me sentia muito bem, quase eufórico. Estava feliz com o modo pelo qual passei do acidente para uma difícil reunião de negócios mais tarde naquele dia. Eu estava preparado para a reunião e lidei muito bem com ela. No dia seguinte, comecei a me sentir agitado. Havia uma rigidez no meu pescoço, no ombro direito e no braço; isso me surpreendeu, pois eu fora atingido no lado esquerdo."

Olhando de novo para o que tinha acontecido mais cedo no dia do acidente (periferia do fato) e revivendo o processo com seu amigo Tom, Joe (chamaremos de Joe o homem que sofreu o acidente) lembrou de ter entrado no carro para ir trabalhar e de estar bravo com a esposa. Ao se lembrar disso, percebeu que seu queixo está apertado e tremendo. Seu corpo começa a chacoalhar e parece que ele vai perder o controle. Seu amigo Tom assegura que tudo ficará bem. Quando Joe para de tremer e sente-se um pouco aliviado, eles continuam a explorar mais detalhes anteriores ao acidente.

Joe se lembra de dar marcha à ré saindo da garagem e de virar a cabeça para a direita para ver aonde estava indo. Ele sente os braços girando o volante e ao mesmo tempo observa que, por estar bravo, está acelerando demais. Sua perna direita fica tensa enquanto ele coloca o pé no freio para diminuir a velocidade (ele sente essa ação nos músculos das pernas). Incentivado por Tom, Joe sente o tensionar e o relaxar que está acontecendo na perna direita. Ele sente que suas pernas tremem um pouco, à medida que passa do acelerador para o freio e volta para o acelerador.

Então, Joe se lembra de estar dirigindo pela rua e de sentir que queria voltar para conversar com a esposa. Com o incentivo de Tom, ele se imagina retornando e sente uma dor no braço direito. Essa dor se intensifica. À medida que eles focalizam a sensação, a dor começa a diminuir. Eles focalizam a vontade que Joe sentia de voltar. Desta vez,

Joe consegue completar a volta ao seu corpo e à sua mente e se imagina voltando para casa para resolver as coisas com a esposa. Ele lhe diz que se sentiu magoado na festa da noite anterior, porque ela parecia estar ignorando-o. Ela lhe diz que só queria sentir que poderia estar com as outras pessoas sem precisar depender dele. Explica que não era nada pessoal e que se sente muito bem com o relacionamento deles. Joe sente-se aliviado e acha que chegou a uma compreensão e apreciação mais profunda da esposa. Ele também imagina se teria ou não visto o outro carro se tivesse resolvido as questões com ela antes de entrar em seu carro. Nesse ponto, Joe sente-se aliviado. Ele sente um pouco de culpa pelo acidente, mesmo sabendo que a outra pessoa estava claramente errada por não ter respeitado o sinal de PARE.

Tom então pede a Joe que descreva os detalhes da estrada imediatamente antes do acidente, apesar de ele afirmar que não se lembra do que aconteceu. À medida que Joe começa a descrever aquilo de que se lembra, sente os ombros se tensionando. Ele tem a sensação de que seu corpo está sendo puxado para a direita e, em seguida, vê a imagem de uma sombra rápida. Tom pede ao amigo que olhe para a sombra, e Joe começa a ver a cor amarela de um carro (resposta de orientação). À medida que Joe tenta detalhar essa imagem, percebe que via o para-choque dianteiro e depois o rosto do motorista pelo para-brisa do carro. Joe pode dizer, pela expressão no rosto do motorista, que ele não tinha percebido que havia passado por um sinal de PARE — o homem parece perdido em pensamentos. Tom pergunta a Joe o que ele está sentindo, e ele responde que está realmente com raiva do cara e quer destruí-lo. Tom incentiva Joe a imaginar que está destruindo o outro carro. Joe se vê pegando um grande martelo e reduzindo o outro carro a pedacinhos. Ele agora está experienciando uma ativação elevada (mais do que antes). Suas mãos estão tremendo e chacoalhando e ficaram frias. Tom usa palavras suaves para apoiar Joe durante o processo de liberação de energia. Depois de algum tempo, Joe começa a sentir que sua respiração está voltando ao normal, a tensão nos ombros e no maxilar está relaxando, e o tremor diminui. Ele agora tem uma sensação de alívio e de calor nas mãos. Sente-se relaxado e alerta ao mesmo tempo.

Joe observa agora que seus ombros estão sendo puxados para a direita. Ele percebe que seu braço quer virar o volante para a direita e ao mesmo tempo ouve o ruído da batida e de metal sendo amassado. Tom pede a Joe que ignore a batida por enquanto, preste atenção à sensação e complete a volta para a direita. Joe faz a volta em seu corpo e "evita" o acidente. Ele tem mais um tremor suave que é rapidamente seguido por um tremendo alívio — mesmo sabendo que o acidente aconteceu.

Tom pede a Joe que volte ao ponto em que viu pela primeira vez o para-choque amarelo e o homem pelo para-brisa. Então eles passam para o momento em que Joe ouviu o primeiro ruído de metal. Quando essas imagens são acessadas, Joe sente que seu corpo está sendo lançado para a esquerda, ao mesmo tempo que está puxando para a direção oposta. Ele sente que está sendo jogado para a frente e que os músculos de suas costas estão tentando puxá-lo para trás, sem sucesso. Tom incentiva Joe a continuar sentindo os músculos das costas. Joe experiencia um aumento de tensão quando presta atenção aos músculos. Ele experiencia então um leve sentimento de pânico. Nesse ponto, os músculos das costas de Joe se relaxam, e ele começa a suar. Ele chacoalha e treme profundamente durante alguns minutos. Quando isso termina, Joe se sente em paz e seguro.

Joe sabe que o acidente aconteceu. Sabe que tentou evitá-lo. Sabe que queria voltar e conversar com sua esposa. Cada uma dessas experiências é igualmente real para ele. Não parece que uma é real e as outras são imaginárias; elas parecem ser resultados diferentes de um mesmo fato, ambas igualmente reais.

Nos dias que se seguiram à liberação da energia guardada no trauma, os sintomas no braço direito e nas costas de Joe melhoraram significativamente. É importante reconhecer que a dor que estava sentindo estava relacionada a impulsos que ele não tinha completado O primeiro impulso era virar o volante para a direita e voltar para falar com a esposa. O segundo era virar para a direita a fim de evitar o acidente. Um terceiro impulso se referia aos músculos de suas costas tentando puxá-lo para trás. Ao ser incentivado a completar cada uma dessas ações, Joe conseguiu liberar a energia guardada associada aos impulsos, mesmo depois do fato. Assim, fica claro que esse processo oferece um modo para permitir que as respostas se completem e que as imagens fiquem mais conectadas (associadas). Imagens que estão constritas se expandem, enquanto a energia guardada é liberada pela descarga gradual e pela finalização — um passo por vez.

17. PRIMEIROS SOCORROS PARA CRIANÇAS

REAÇÕES TRAUMÁTICAS TARDIAS

Johnny, de 5 anos de idade, está andando orgulhoso em sua primeira bicicleta quando bate numa pedra solta e acaba numa árvore. Por instantes ele fica inconsciente. Quando volta a si, em meio a muitas lágrimas, sente-se desorientado e um pouco diferente. Seus pais o abraçam, o consolam e o colocam de novo na bicicleta e, durante todo esse tempo, elogiam sua coragem. Não percebem como ele está atordoado e assustado.

Anos depois desse acidente aparentemente pouco importante, John está dirigindo o carro em que estão a esposa e os filhos e tem de desviar para evitar outro carro. Ele congela no meio da ação. Felizmente, o outro motorista consegue manobrar e evitar uma catástrofe.

Numa manhã, vários dias depois, John começa a se sentir agitado enquanto está dirigindo para o trabalho. Seu coração começa a bater rápido e forte; suas mãos estão frias e suadas. Ele se sente ameaçado e preso numa armadilha, e tem um impulso súbito de sair do carro e correr. Ele reconhece a "loucura" de seus sentimentos, percebe que ninguém foi ferido e, aos poucos, os sintomas vão desaparecendo. Contudo, uma apreensão vaga e inoportuna persiste por quase todo o dia. Ele se sente aliviado ao chegar em casa naquela noite sem ter tido nenhum incidente.

Na manhã seguinte, John sai mais cedo para evitar o trânsito e fica até mais tarde para discutir assuntos de trabalho com alguns colegas. Ele está irritado e impaciente quando chega em casa. Discute com a esposa e grita com os filhos. Vai dormir cedo. Acorda no meio da noite e se lembra vagamente de um sonho no qual seu carro está derrapando sem controle. Ele está banhado em suor. Seguem-se outras noites maldormidas.

John está experienciando uma reação tardia sensibilizada pelo acidente de bicicleta que teve quando criança. Por incrível que pareça, as reações pós-traumáticas desse tipo são comuns. Depois de ter trabalhado por mais de 25 anos com pessoas traumatizadas, posso dizer que pelo menos metade de meus clientes teve sintomas traumáticos que permaneceram latentes por um período significativo antes de se manifestarem. Para muitas pessoas, o intervalo entre o fato e o aparecimento dos sintomas encontra-se entre seis semanas e dezoito meses. Porém, o período de latência pode durar anos ou até mesmo décadas. Em ambos os casos, com frequência, as reações são desencadeadas por acontecimentos aparentemente insignificantes.

É claro que nem todos os acidentes na infância produzem uma reação traumática tardia. Alguns não têm nenhum efeito residual. Outros, inclusive aqueles considerados incidentes infantis "pouco importantes" e esquecidos, podem ter efeitos posteriores significativos. Uma queda, um procedimento cirúrgico aparentemente benigno, a perda de um dos pais por morte ou divórcio, doença grave, até mesmo circuncisão e outros procedimentos médicos de rotina podem causar reações traumáticas posteriores na vida, dependendo do modo como a criança as vivencia no momento em que acontecem.

Entre esses antecedentes traumáticos, os procedimentos médicos são de longe os mais comuns e de maior impacto potencial. Muitos médicos (sem intenção) ampliam o medo de uma criança já assustada. Durante a preparação para determinados procedimentos de rotina, os bebês são enrolados em "casulos" para que não se mexam. No entanto, uma criança que luta tanto que precisa ser amarrada é uma criança que está assustada demais para ser contida sem sofrer consequências. Do mesmo modo, uma criança que está apavorada não é uma boa candidata à anestesia até que seja restabelecida alguma sensação de tranquilidade. Uma criança que recebe anestesia enquanto está assustada por certo ficará traumatizada — com frequência, gravemente. As crianças podem ficar traumatizadas até por injeções aplicadas e termômetros colocados de modo insensível.

Grande parte do trauma associado a procedimentos médicos pode ser evitado se os serviços de saúde:

1. incentivarem os pais a ficar com os filhos;
2. explicarem antecipadamente tudo que for possível;
3. adiarem as providências até que as crianças estejam calmas.

O problema é que poucos profissionais entendem o trauma ou os efeitos duradouros e generalizados que esses procedimentos podem causar. Embora a equipe médica se preocupe com o bem-estar das crianças, pode precisar de mais informações — prestadas por quem as acompanha.

PRIMEIROS SOCORROS PARA ACIDENTES E QUEDAS

Acidentes e quedas são uma parte normal e em geral benigna do crescimento. Porém, às vezes, a criança pode experienciar uma reação traumática a uma dessas ocorrências cotidianas. Assistir a um incidente desse tipo nem sempre lhe dará dicas sobre sua gravidade. A criança pode ficar traumatizada por fatos que parecem relativamente insignificantes para um adulto. É importante estar atento para o fato de que as crianças por vezes tendem a encobrir os sinais do impacto traumático, sobretudo quando sentem que "não se ferir" vai deixar papai e mamãe felizes. Estar bem informado é seu maior aliado para responder às necessidades de seu filho.

Aqui estão algumas orientações:

Dê atenção primeiro a suas próprias respostas, reconhecendo internamente sua preocupação e seu medo diante da criança ferida. Inspire profundamente e expire lentamente; sinta as sensações de seu corpo. Se estiver se sentindo perturbado, repita isso. O tempo gasto em estabelecer uma sensação de calma é um tempo bem empregado. Ele aumentará sua capacidade de dar plena atenção à criança e diminuirá a reação dela a seu medo e confusão. Se você tiver tempo para se acalmar, conformar-se com o acidente o ajudará a focalizar as necessidades da criança. Se suas emoções forem intensas demais, provavelmente você será tão assustador para a criança quanto o acidente. As crianças são muito sensíveis aos estados emocionais dos adultos, sobretudo de seus pais.

Mantenha a criança tranquila e imóvel. Se o ferimento exigir movimento imediato, apoie ou carregue a criança, mesmo que ela pareça capaz de movimentar-se sozinha. Crianças que fazem grandes esforços para mostrar força em geral o fazem para negar o medo que estão sentindo. Se você sentir que a criança está fria, envolva suavemente seus ombros e tronco em um casaco ou uma manta.

Incentive a criança a descansar num lugar seguro por tempo suficiente (se necessário, insista). Isso é importante sobretudo se você observar sinais de choque ou entorpecimento (olhar embaçado, palidez, respiração rápida ou superficial, tremores, desorientação, sensação de estar em outro lugar). O descanso é fundamental se a aparência da criança for excessivamente emocional ou completamente calma (antes da tempestade). Você pode ajudá-la a se acalmar se você mesmo estiver relaxado, tranquilo e calmo. Se considerar adequado abraçar ou dar colo, faça-o de um modo suave e não restritivo. Colocar suavemente a mão no centro das costas da criança, atrás do coração, comunicar apoio e segurança sem interferir nas respostas corporais naturais dela. O embalo excessivo pode interromper o processo de recuperação (de modo semelhante ao da criança supercuidadosa e bem intencionada que lida inadequadamente com um pássaro ferido).

Guie cuidadosamente a atenção da criança para suas sensações, à medida que o entorpecimento começar a se desfazer. Pergunte com ternura: "O que você está sentindo em seu corpo?" Lenta e suavemente, repita as respostas na forma de uma pergunta — "Você está se sentindo mal?" — e espere por um aceno ou por outra resposta.

A próxima pergunta pode ser mais específica: "Onde você sente essa sensação ruim?" (deixe que a criança lhe mostre). Se ela apontar um lugar específico, pergunte: "Qual é a sensação em sua barriga (cabeça, braço, perna etc.)?" Se ela expressar uma sensação específica, faça perguntas gentis sobre a localização específica, o tamanho, a forma, a cor, o peso e outras características. Guie suavemente a criança para o momento presente, isto é: "Qual é a sensação do inchaço agora (arranhão, queimadura etc.)?"

Mantenha alguns instantes de silêncio entre as perguntas. Isso permite a finalização de qualquer ciclo em que a criança esteja se movendo sem que seja distraída por outra pergunta. Se você não tiver certeza se o ciclo foi completado, espere que a criança lhe dê pistas (uma respiração profunda e relaxada, parar de chorar ou de tremer, espreguiçar, um sorriso, estabelecer ou quebrar o contato com o olhar). A finalização desse ciclo não significa que o processo de recuperação acabou. Outro ciclo pode vir a seguir. Mantenha a criança focalizada nas sensações por mais alguns minutos para se assegurar de que o processo esteja completo.

Não estimule a discussão sobre o acidente. Haverá muito tempo depois para contar histórias sobre ele, representá-lo ou desenhá-lo. Agora é o momento de descarregar e descansar.

Valide as respostas físicas da criança durante esse período. As crianças costumam chorar ou tremer quando saem do choque. Se você sentir vontade de parar esse processo natural, resista. A expressão física da perturbação precisa continuar até que pare ou diminua sozinha. Em geral são necessários alguns minutos para se completar esse processo. Estudos mostram que as crianças que tiveram essa oportunidade depois de um acidente têm menos problemas na recuperação.

Sua tarefa é fazer que a criança saiba que chorar e tremer são reações normais e saudáveis. Uma mão confortadora nas costas ou no ombro, acompanhada por algumas palavras gentis como "Tudo bem" ou "Está tudo bem — deixe que o susto saia de você com o tremor" ajudam imensamente. Sua função primária é criar um ambiente seguro para que a criança complete suas respostas naturais ao fato de ter sido ferida. Confie na capacidade inata de cura dela. Confie em sua própria capacidade para permitir que isso aconteça. Para evitar interrupção não intencional do processo, não mude a posição da criança, não distraia a atenção dela, não a abrace forte demais, não fique perto nem longe demais. Observe quando ela começar a se reorientar em direção ao mundo externo. A orientação é um sinal de completude.

Por fim, esteja atento às respostas emocionais da criança. Quando a criança parecer segura e calma (é melhor depois do que antes), reserve algum tempo para contar histórias ou representar o incidente. Comece pedindo a ela que lhe conte o que aconteceu. Ela pode estar sentindo raiva, medo, tristeza, embaraço, vergonha ou culpa. Conte a ela algum momento em que você, ou alguém que você conhece, sentiu-se do mesmo modo ou teve um acidente semelhante. Isso ajudará a "normalizar" aquilo que ela está sentindo. Diga a ela que está tudo bem em sentir aquilo que ela está sentindo, e que ela merece atenção. Confie em si mesmo enquanto estiver aplicando esses primeiros socorros. Não fique pensando demais se você está "fazendo do modo certo".

O trauma nem sempre pode ser evitado; ele é um fato da vida. Mas pode ser curado. Trata-se de um processo interrompido que tem uma inclinação natural a se completar sempre que isso seja possível. Se você criar a oportunidade, a criança completará esse processo e evitará os efeitos debilitantes do trauma.

RESOLVENDO UMA REAÇÃO TRAUMÁTICA

Criar uma oportunidade para a cura é semelhante a aprender os costumes de um novo país. Não é difícil — apenas diferente. É necessário que você e a criança mudem do reino do pensamento ou da emoção para o reino muito mais básico da sensação física. A tarefa primária é dar atenção à sensação que as coisas evocam e ao modo como o corpo está respondendo. Em resumo, a oportunidade gira em torno da sensação.

Uma criança traumatizada que está em contato com as sensações internas está dando atenção aos impulsos do núcleo reptiliano. Em consequência, ela provavelmente notará mudanças e respostas sutis, que têm o propósito de ajudar a descarregar o excesso de energia ou a completar sentimentos e respostas que estavam bloqueados. Observar essas mudanças e respostas ajuda nesse processo.

As mudanças podem ser bem sutis: algo que internamente é sentido como uma pedra, por exemplo, pode repentinamente parecer dissolver-se num líquido quente. Essas mudanças têm efeito mais benéfico quando são apenas observadas, e não interpretadas. Nesse momento, associar significado a essas mudanças ou contar uma história sobre elas pode fazer que as percepções da criança passem para uma parte mais evoluída do cérebro, o que perturbará a conexão direta estabelecida com o núcleo reptiliano.

As respostas corporais que emergem junto com as sensações incluem tipicamente tremor involuntário, chacoalhamento e choro. O corpo pode querer mexer-se lentamente de maneira específica. Se essas respostas forem suprimidas ou interrompidas por crenças a respeito de ser forte (crescido, corajoso), sobre agir de modo normal ou obedecer a sentimentos familiares, elas não conseguirão descarregar eficazmente a energia acumulada.

Outra característica do nível de experiência gerado pelo núcleo reptiliano refere-se à importância do ritmo e do momento oportuno. Pense nisso: tudo no mundo selvagem é dirigido por ciclos. As estações mudam, a lua aumenta e diminui, as marés vêm e vão, o sol nasce e se põe. Os animais seguem os ritmos da natureza — acasalamento, nascimento, alimentação, caça, sono e hibernação são respostas diretas ao pêndulo da natureza. As respostas que fazem que as reações traumáticas cheguem à resolução natural também são assim.

Esses ritmos apresentam um desafio duplo para os seres humanos. Primeiro, têm um andamento muito mais lento do que aquele com que estamos acostumados. Segundo, estão inteiramente além do nosso controle. Só podemos nos abrir, observar e validar os ciclos de cura; eles não podem ser avaliados, manipulados, apressados ou mudados. Quando eles têm o tempo e a atenção de que necessitam, conseguem completar sua missão de cura.

Por estar imersa no reino das respostas instintivas, a criança com quem você está passará pelo menos por um desses ciclos. Como você pode saber quando ele se completou? Sintonize-se com a criança. As crianças traumatizadas, que permanecem no modo da sensação sem se envolver em seus processos de pensamento, sentem um alívio e uma abertura; sua atenção então se focaliza novamente no mundo externo. Você conseguirá sentir essa mudança na criança e saberá que houve a cura.

Resolver uma reação traumática tem um efeito muito maior do que eliminar a probabilidade de que as reações emerjam posteriormente na vida. Isso nutre a habilidade de passar por situações ameaçadoras com muito mais facilidade. Em essência, isso cria uma flexibilidade natural diante do estresse. Um sistema nervoso acostumado a entrar e sair do estresse é mais saudável do que um sistema nervoso sobrecarregado com um nível de estresse contínuo ou que se acumula. As crianças que são incentivadas a dar atenção a suas respostas instintivas são recompensadas com um legado vitalício de saúde e vigor.

COMO SABER SE MEU FILHO FOI TRAUMATIZADO?

Qualquer comportamento incomum que apareça logo depois de um episódio muito assustador ou de um procedimento médico, em especial os que incluem anestesia, pode indicar que seu filho está traumatizado. Gestos repetitivos, compulsivos — como atropelar repetidamente uma boneca com um carrinho de brinquedo — são um sinal quase certo de uma reação não resolvida de um fato traumático. (A atividade pode ser ou não uma repetição literal do trauma.) Outros sinais de estresse traumático são:

- comportamentos persistentes de controle;

- regressão a padrões de comportamento anteriores, como chupar o dedo;
- birras, ataques incontroláveis de raiva;
- hiperatividade;
- tendência a se assustar facilmente;
- terrores noturnos ou pesadelos recorrentes, agitar-se durante o sono, fazer xixi na cama;
- incapacidade de se concentrar na escola, esquecimento;
- timidez ou agressividade excessivas, retraimento ou medo;
- necessidade extrema de abraçar;
- dores de estômago, dores de cabeça ou outros males de origem desconhecida.

Para descobrir se um comportamento incomum é realmente uma reação traumática, tente mencionar o episódio assustador e observe como seu filho responde. Uma criança traumatizada pode não querer lembrar o fato. Ou, ao contrário, ao lembrar, pode ficar animada ou com medo e não conseguir parar de falar sobre ele.

Os lembretes também são reveladores em retrospecto. As crianças que têm padrões "estabelecidos" de comportamento incomum não descarregaram a energia que lhes deu origem. A razão pela qual as reações traumáticas se ocultam por anos é que o sistema nervoso em amadurecimento é capaz de controlar o excesso de energia. Ao lembrar seu filho de um incidente assustador que precipitou comportamentos alterados no passado, você ainda pode encontrar sinais de resíduos traumáticos.

Não é necessário se preocupar com a possibilidade de reativar um sintoma traumático. Os processos fisiológicos envolvidos, por mais primitivos que sejam, respondem bem a intervenções que os incluam e que permitam que sigam o curso natural de cura. As crianças são maravilhosamente receptivas quanto a experienciar o lado curador de uma reação traumática. A sua função é simplesmente proporcionar uma oportunidade para que isso aconteça.

SAMMY: UM ESTUDO DE CASO

A história a seguir é um exemplo daquilo que pode ocorrer quando um incidente relativamente comum não recebe atenção.

Sammy estava passando o fim de semana com a avó e com o marido dela, e eu era hóspede deles. Sammy estava sendo um tirano impossível, tentando controlar seu novo ambiente de modo agressivo e incansável. Nada o agradava; ele esteve de mau humor durante todo o tempo em que estava acordado. Quando adormecia, virava-se e se contorcia como se estivesse lutando com os lençóis. Esse não é um comportamento inteiramente inesperado para uma criança de 2 anos e meio cujos pais viajaram no fim de semana — as crianças frequentemente "põem para fora" quando sentem angústia de separação. Entretanto, Sammy sempre gostara de visitar os avós, que achavam que seu comportamento parecia extremo.

Os avós me contaram que, seis meses antes, Sammy tinha caído do cadeirão e cortado o queixo. Sangrando bastante, foi levado ao pronto-socorro mais próximo. Quando a enfermeira veio tirar a temperatura e medir a pressão sanguínea, ele estava tão assustado que ela não conseguiu registrar seus sinais vitais. Depois disso, a criança de 2 anos foi amarrada no "casulo pediátrico" (uma prancha com abas e tiras com velcro) que imobilizava suas penas e seu tronco. Ele só conseguia mexer a cabeça e o pescoço — e naturalmente ele fez isso do modo mais forte que podia. Os médicos reagiram apertando o casulo para suturar o queixo dele.

Depois dessa experiência perturbadora, seus pais o levaram para comer um hambúrguer e brincar no *playground*. A mãe foi muito atenta e reconheceu atenciosamente a experiência de ele se sentir assustado e ferido, e tudo parecia ter sido esquecido. Porém, a atitude tirânica do menino começou logo depois desse episódio. O comportamento exageradamente controlador de Sammy poderia estar ligado à impotência que ele tinha sentido nesse trauma?

Descobri que Sammy estivera no pronto-socorro várias vezes, com diversos ferimentos, embora nunca tivesse mostrado esse grau de terror e pânico. Quando os pais dele voltaram, concordamos em explorar se ainda poderia haver uma carga traumática associada à sua experiência recente.

Reunimo-nos todos no quarto onde eu estava hospedado. Sammy não teria de falar a respeito da queda ou da experiência no hospital. Enquanto os pais, a avó e Sammy observavam, coloquei precariamente seu Urso Pooh de pelúcia numa cadeira, de onde ele caiu e teve de ser levado para o hospital. Sammy gritou, saiu correndo pela porta e atravessou uma ponte até um caminho estreito que ia dar no riacho. Nossas suspeitas estavam confirmadas. Sua visita mais recente ao hospital, além de maléfica, não havia sido esquecida. O comportamento de Sammy indicava que essa brincadeira era potencialmente opressiva para ele.

Os pais de Sammy o trouxeram de volta do riacho. Ele abraçava a mãe com fervor. Enquanto nos aprontávamos para outro jogo, garantimos a Sammy que todos estaríamos ali para ajudar a proteger o Urso Pooh. Ele correu de novo — mas, dessa vez, correu para o meu quarto. Fomos até o quarto e esperamos para ver o que aconteceria a seguir. Sammy correu para a cama e golpeou-a com os braços, olhando para mim como se esperasse algo. Interpretando isso como um sinal para prosseguir, pus o urso debaixo de um cobertor e coloquei Sammy na cama perto dele.

"Sammy, vamos todos ajudar o Urso Pooh."

Segurei o urso embaixo do cobertor e pedi a todos que ajudassem. Sammy observava com interesse, mas logo se levantou e correu para a mãe. Abraçando-a, ele disse: "Mamãe, estou com medo". Sem pressioná-lo, esperamos até que Sammy estivesse pronto e disposto a brincar novamente. Dessa vez, a vovó e o Urso Pooh foram segurados juntos, e Sammy participou ativamente desse resgate. Quando o urso foi libertado, Sammy correu para a mãe, abraçando-a com muito medo, mas também com um senso crescente de animação, triunfo e orgulho, o peito aberto e empinado. Na vez seguinte, ele abraçou a mãe com menos força e mais animação. Esperamos até que Sammy estivesse pronto para brincar novamente. Todos, com exceção de Sammy, foram resgatados uma vez junto com o Urso Pooh. A cada resgate, Sammy ficava mais vigoroso ao arrancar o cobertor.

Quando chegou a vez de Sammy ser segurado sob o cobertor junto com o urso, ele ficou bastante agitado e assustado e correu para os braços da mãe diversas vezes antes de ser capaz de aceitar esse último desafio. Corajosamente, entrou sob o cobertor com o urso enquanto eu segurava suavemente o cobertor. Observei seus olhos se arregalarem de medo, mas só momentaneamente. Então, ele pegou o Urso Pooh, arrancou o cobertor e fugiu para os braços da mãe. Soluçando e tremendo, ele gritava: "Mamãe, me tire daqui! Mamãe, tire essa coisa de mim!" O pai, estupefato, me contou que essas foram as mesmas palavras que Sammy gritou enquanto estava aprisionado no casulo no hospital. Ele se lembrava disso claramente porque tinha ficado bastante surpreso com a habilidade do filho de fazer um pedido tão direto e articulado aos 2 anos de idade.

Repetimos a fuga várias vezes. A cada vez, Sammy exibia mais poder e triunfo. Em vez de correr assustado para a mãe, pulava animadamente. A cada fuga bem-sucedida, todos batíamos palmas e dançávamos juntos, festejando: "Viva Sammy, viva, viva, Sammy salvou o Urso Pooh". Sammy, aos 2 anos e meio, conseguira dominar a experiência que o tinha abalado alguns meses antes.

O que teria acontecido se não tivéssemos feito essa intervenção? Sammy teria se tornado mais ansioso, hiperativo e controlador? O trauma poderia ter resultado posteriormente em comportamentos mais restritivos e menos adaptativos? Ele poderia ter reatuado o fato décadas mais tarde, ou teria desenvolvido sintomas inexplicáveis (por exemplo, dores abdominais, enxaquecas, ataques de ansiedade) sem saber o porquê. Claramente, todos esses cenários são possíveis — e igualmente impossíveis de se determinar. É impossível saber como, quando ou se uma experiência traumática de uma criança invadirá sua vida numa outra forma. Porém, por meio da prevenção, podemos ajudar a proteger nossas crianças dessas possibilidades. Também podemos ajudá-las a se desenvolverem como adultos mais seguros e mais espontâneos.

JOGO TRAUMÁTICO, REATUAÇÃO E RENEGOCIAÇÃO

É importante reconhecer a diferença entre jogo traumático, reatuação traumática e o trabalho de trauma que vimos com Sammy. Adultos traumatizados costumam reatuar um fato que de alguma forma representa o trauma original, pelo menos para seu inconsciente. De modo similar, as crianças recriam os fatos traumáticos em suas brincadeiras. Embora possam não ter consciência do significado por trás de seus comportamentos, elas são profundamente impulsionadas à reatuação pelos sentimentos associados ao trauma original. O jogo traumático é um modo pelo qual a criança contará a história do acontecimento, mesmo que não fale sobre o trauma.

Em *Too scared to cry*[30] [Muito assustado para chorar], Lenore Terr descreve o jogo e as respostas de Lauren, de 3 anos e meio, enquanto brincava com carrinhos. Lauren falava enquanto aproximava dois carros de corrida de alguns fantoches: "Os carros vão passar em cima das pessoas. Eles estão apontando suas partes pontudas para as pessoas. As pessoas estão apavoradas. Uma parte pontuda vai entrar na barriga delas, na boca delas, na... [ela aponta para sua saia]. Minha barriga dói. Eu não quero mais brincar". Lauren para quando esse sintoma corporal de medo aparece. Essa é uma reação típica. Ela pode voltar repetidamente à mesma brincadeira e, a cada vez, vai parar quando o medo emergir na forma de dor de barriga. Alguns psicólogos diriam que Lauren está usando o jogo como tentativa de obter algum controle sobre a situação que a traumatizou. Esse jogo se parece com os tratamentos de "exposição" usados rotineiramente para ajudar adultos a superar fobias. Entretanto, Terr aponta que essa técnica é bastante lenta para curar a perturbação de crianças — caso chegue a fazê-lo. O mais comum é que a brincadeira seja compulsivamente repetida sem resolução. Isso pode reforçar o impacto traumático do mesmo modo que a reatuação e o reviver catártico de experiências podem reforçar o trauma em adultos.

30. Terr, Lenore. *Too scared to cry*. Nova York: Basic Books, 1984.

O trabalho ou *renegociação* de uma experiência traumática, como vimos com Sammy, representa um processo que é fundamentalmente diferente do jogo traumático ou da reatuação. A maioria das crianças tentará evitar os sentimentos traumáticos que tal brincadeira evoca, se não houver intercorrência a si mesmas. Com orientação, Sammy foi capaz de "viver seus sentimentos", dominando gradual e sequencialmente seu medo. Usando passo a passo essa renegociação do fato traumático e o apoio do Urso Pooh, ele conseguiu emergir como vitorioso e herói. Um senso de triunfo e de heroísmo quase sempre assinala a conclusão bem-sucedida de um fato traumático renegociado.

PRINCÍPIOS-CHAVE PARA RENEGOCIAR O TRAUMA COM CRIANÇAS

Usarei a experiência de Sammy para discutir os princípios que se seguem:

1. *Deixe que a criança controle o andamento do jogo.* Ao sair correndo da sala quando o Urso Pooh caiu da cadeira, Sammy nos contou de modo bastante claro que não estava pronto para participar daquele novo jogo de ativação. Antes de continuarmos, Sammy teve de ser "resgatado" pelos pais, confortado e trazido de volta para a cena. Todos tivemos de garantir a ele que estaríamos lá para ajudar a proteger o Urso Pooh. Ajudamos Sammy a se aproximar do jogo ao lhe oferecermos esse apoio e garantia.

Quando ele correu para o quarto em vez de porta afora, estava nos dizendo que se sentia menos ameaçado e que confiava mais em nosso apoio. As crianças não conseguem afirmar verbalmente se querem continuar; siga as pistas presentes em seu comportamento e em suas reações. Respeite os desejos delas e também o modo que escolherem para se comunicar. As crianças nunca deveriam ser forçadas a fazer mais do que estão dispostas e conseguem fazer. Diminua a velocidade do processo se observar sinais de medo, respiração constrita, tensão ou uma aparência entorpecida (dissociada). Essas reações se dissiparão se você simplesmente esperar tranquila e pacientemente, assegurando à criança que você ainda está lá. Em geral, os olhos e a respiração dela vão lhe dizer se é o momento de continuar. Leia mais uma vez a história de Sammy e preste atenção especial aos pontos que indicam a decisão dele de continuar o jogo. Além do ponto já citado, existem três exemplos explícitos.

2. Diferencie medo, terror e animação. Experienciar medo ou terror por mais do que um breve momento durante o jogo traumático não vai ajudar a criança a resolver o trauma. A maioria das crianças fará alguma coisa para evitar isso. Permita que elas o façam. Ao mesmo tempo, esteja certo de que você pode discernir entre esquiva e fuga. Quando Sammy correu para o riacho, estava demonstrando um comportamento de esquiva. Para resolver sua reação traumática, ele precisava sentir que estava no controle de suas ações em vez de ser levado a agir por suas emoções. O comportamento esquivo ocorre quando o medo e o terror ameaçam sobrecarregar a criança. Esse comportamento é quase sempre acompanhado de algum sinal de perturbação emocional (choro, olhar assustado, grito). Por outro lado, a fuga ativa é excitante. As crianças ficam animadas com os pequenos triunfos e com frequência demonstram prazer, com sorrisos radiantes, palmas ou risos animados. De modo geral, a resposta é muito diferente do comportamento esquivo.

A animação evidencia que a criança descarregou as emoções que acompanharam a experiência original. Isso é positivo, desejável e necessário. O trauma é transformado quando sentimentos e sensações intoleráveis são substituídos por outros mais agradáveis. Isso só pode acontecer num nível de ativação que seja semelhante à ativação que levou à reação traumática. Se a criança parece estar animada, pode-se incentivá-la e continuar, como fizemos quando batemos palmas e dançamos com Sammy. Se, por outro lado, ela parece assustada ou intimidada, dê-lhe segurança, mas não estimule mais movimento por ora. Esteja presente com toda a sua atenção, apoio e segurança; espere pacientemente enquanto o medo se dissipa.

3. *Dê um pequeno passo de cada vez.* Você nunca conseguirá ir devagar demais quando estiver renegociando um fato traumático. O jogo traumático é repetitivo quase por definição. Use essa característica cíclica. A diferença principal entre a renegociação e o jogo traumático é que na renegociação existem pequenas diferenças nas respostas e nos comportamentos da criança. Quando Sammy correu para o quarto em vez de porta afora, estava respondendo com um comportamento diferente — esse é um sinal de progresso. Não importa quantas repetições sejam necessárias; se a criança estiver respondendo de modo diferente, mesmo que a diferença seja pequena — com mais animação, com mais palavras, com mais movimentos espontâneos —, ela está atravessando o trauma. Se as respostas da criança parecem estar indo na direção da constrição ou da repetição, em vez de na da expansão e da variedade, pode ser que você esteja tentando renegociar o fato usando cenários que envolvam progresso demasiado para que ela consiga fazê-lo de uma só vez. Diminua o ritmo da mudança e, se isso não parecer ajudar, releia este capítulo e observe mais atentamente seu papel no processo e o modo como a criança está respondendo; talvez existam alguns sinais que você não esteja percebendo.

Envolvemos Sammy no jogo com o Urso Pooh pelo menos dez vezes. Ele conseguiu renegociar suas respostas traumáticas com rapidez. Outra criança poderia precisar de mais tempo. Não se preocupe com o número de vezes em que você tiver de passar pelo que parece ser a mesma coisa. Se a criança estiver respondendo, esqueça suas preocupações e aproveite a brincadeira.

4. *Seja paciente — um bom continente.* Lembre-se de que a natureza está do seu lado. Talvez o aspecto mais importante e difícil para um adulto que está renegociando um fato traumático com uma criança seja manter sua crença de que as coisas ficarão bem. Esse sentimento vem de dentro de você e é projetado para a criança. Ele se torna um continente que a rodeia com uma sensação de confiança. Isso pode ser especialmente difícil se a criança resistir a suas tentativas de rene-

gociar o trauma. Seja paciente e dê segurança. Uma grande parte da criança quer retrabalhar essa experiência. Tudo que você tem a fazer é esperar que essa parte se afirme. Se estiver excessivamente preocupado com a reação traumática da criança, imaginando se ela pode ser transformada, você pode inadvertidamente enviar uma mensagem conflitante para ela. Os adultos que têm os próprios traumas não resolvidos são mais suscetíveis a cair nessa armadilha. Não deixe que a criança sofra com o resultado de suas próprias experiências não resolvidas. Peça a outra pessoa que ajude a criança e ajude a si mesmo.

5. Se você sentir que a criança não está genuinamente se beneficiando da brincadeira, pare. Sammy conseguiu renegociar sua experiência em uma sessão, mas nem todas as crianças conseguirão isso. Algumas poderão precisar de várias sessões. Se depois de diversas tentativas, a criança continuar constrita e não passar para o triunfo e a alegria, não force. Procure a ajuda de um profissional qualificado.

Curar o trauma nas crianças é uma questão muito importante e complexa. Por isso, agora estou escrevendo um livro inteiramente dedicado a esse assunto. Ele incluirá informações detalhadas que poderão ser usadas por pais, professores e terapeutas.

EPÍLOGO — TRÊS CÉREBROS, UMA MENTE

Maldita a mente que sobe até as nuvens
em busca de reis míticos e só de coisas místicas
coisas místicas clamam pela alma que
não encara o corpo como um igual
e eu nunca aprendi a tocar realmente o chão,
embaixo, embaixo onde os iguanas sentem.
— "Mythical kings and iguanas", Judy Mayham

Em nossa exploração do trauma, aprendemos sobre as energias primordiais que se encontram no núcleo reptiliano de nosso cérebro. Não somos répteis, mas sem acesso claro à nossa herança reptiliana e mamífera não conseguimos ser plenamente humanos. A plenitude de nossa humanidade está na capacidade de integrar as funções de nosso cérebro trino.

Percebemos que para resolver o trauma precisamos aprender a nos mover fluidamente entre o instinto, a emoção e o pensamento racional. Quando essas três fontes estão em harmonia, comunicando sensação, sentimento e cognição, nosso organismo funciona como deveria.

Ao aprender a identificar e contatar as sensações corporais, começamos a sondar nossas raízes reptilianas instintivas. Em si mesmos, os instintos são apenas reações. Contudo, quando essas reações, de forma organizada, são integradas e expandidas por nosso sensível cérebro mamífero que sente e por nossas capacidades cognitivas, experienciamos a plenitude de nossa herança evolutiva.

É importante entender que as partes mais primitivas de nosso cérebro não são exclusivamente orientadas para a sobrevivência (assim como nosso cérebro moderno não é exclusivamente cognitivo). Elas carregam informações vitais a respeito de quem somos. Os instintos não nos dizem apenas quando lutar, fugir ou congelar; dizem-nos que pertencemos a este lugar. O senso de "eu sou eu" é instintivo. Nosso cérebro mamífero amplia esse senso para "nós somos nós" — dizendo que pertencemos juntos a este lugar. Nosso cérebro humano acrescenta um senso de reflexão e de conexão além do mundo material.

Se não tivermos uma clara conexão com nossos instintos e sentimentos, não poderemos sentir nossa conexão e sensação de pertencer a esta terra, a uma família ou a qualquer outra coisa.

Aqui estão as raízes do trauma. A desconexão de nossa sensopercepção de pertencer faz que nossas emoções flutuem num vácuo de solidão. Ela faz que nossa mente racional crie fantasias baseadas na desconexão, e não na conexão. Essas fantasias nos levam a competir, guerrear, desconfiar dos outros, e sabotam nosso respeito natural pela vida. Se não sentirmos conexão com todas as coisas, então é mais fácil destruir ou ignorar essas coisas. Os seres humanos são naturalmente cooperativos e amorosos. Gostamos de trabalhar juntos. Porém, sem o cérebro plenamente integrado, não conseguimos nos reconhecer assim.

No processo da cura do trauma, integramos nosso cérebro trino. A transformação que ocorre quando fazemos isso cumpre nosso destino evolutivo. Tornamo-nos completamente animais humanos, capazes da totalidade de nossas habilidades naturais. Somos guerreiros ferozes, incentivadores suaves e tudo aquilo que fica entre esses dois polos.

AGRADECIMENTOS

Agradeço a meus pais, Morris e Helen, pelo dom da vida, o veículo para a expressão de meu trabalho, e por seu apoio contínuo, pleno e inequívoco, dos dois lados do plano físico. Agradeço a Pouncer, o cachorro da raça dingo que tem sido meu guia no mundo animal, além de um companheiro constante: aos 17 anos, você continua a me mostrar a alegria da vida física.

Agradeço aos numerosos etologistas, incluindo Nikolas Tinbergen, Konrad Lorenz, H. von Holst, Paul Leyhausen e Eibl Elbesfeldt, por sua visão naturalística do animal humano, pelas publicações científicas, pela nossa correspondência pessoal e pelo incentivo.

Tenho uma dívida profunda com o legado de Wilhelm Reich, cuja contribuição monumental para a compreensão da energia me foi ensinada por Philip Curcurruto, um homem de sabedoria simples e de coração compassivo.

Agradeço a Richard Olney e a Richard Price, que me ensinaram o pouco que sei sobre autoaceitação, e a Ida Rolf, por sua inspiração e catálise na formação de minha identidade como cientista-curador. E agradeço à dra. Virgínia Johnson por sua compreensão crítica dos estados alterados de consciência.

Os mestres teóricos incluem Ernst Gellhorn, que trouxe informações a meu pensamento neurofisiológico, e Akhter Ahsen, que ajudou a consolidar minha visão da "unidade indiferenciada e fundida do corpo e da mente".

Sou grato aos numerosos amigos que me ajudaram neste livro, especialmente a Amy Graybeal e a Lorin Hager.

Agradeço a Guy Coheleach por me permitir gentilmente o uso de seu trabalho, apaixonado e habilidoso, sobre a arte animal. Por fim, agradeço humildemente a Medusa, a Perseu e às outras poderosas forças do inconsciente corporal, por trazerem informações a meu campo de ser arquetípico.

A Associação Brasileira do Trauma (ABT), constituída em 2005, tem como missão apoiar, divulgar, ensinar, desenvolver pesquisas e promover terapias que trabalhem com os efeitos do trauma e sua prevenção, além de estimular a congregação e o intercâmbio entre terapeutas nacionais e estrangeiros.

Atua no desenvolvimento de profissionais, capacitando-os a prestar atendimento clínico por meio da abordagem somática. A ABT contribui com programas de prevenção e de capacitação para que profissionais prestem socorro em situações emergenciais. Tem ainda o compromisso de disseminar conhecimento e informação para a ampla compreensão do trauma, visando o alívio e a cura de pessoas que desenvolveram o transtorno de estresse pós-traumático nas mais variadas formas.

Para mais informações, acesse: www.traumatemcura.com.br.

www.gruposummus.com.br